# Le Misanthrope

Molière

# Le Misanthrope

*Comédie*

1666

Préface de Jean-Pierre Vincent

Commentaires et notes
de Michel Autrand

Le Livre de Poche

*Texte conforme à l'édition*
*des Grands Écrivains de la France.*

Michel Autrand, auteur d'une thèse d'État sur *L'Humour de Jules Renard* (Klincksieck, 1978), est professeur à l'Université de Paris X - Nanterre. Il y travaille, dans le cadre du Centre des Arts du Spectacle, sur le théâtre des XVIIe et XXe siècles. Il a publié, entre autres, des études sur Ghelderode et Audiberti, une édition critique du *Protée* de Claudel (Les Belles-Lettres, 1978), un commentaire de l'*Amphitryon* de Molière (Bordas, 1966) ainsi qu'un ouvrage de dramaturgie sur *Le Cid* (Cedic, 1977).

# Une nouvelle approche du théâtre

*Le théâtre est échange entre le comédien et le public.* Le Livre de Poche Classique, *en publiant une série « Théâtre », cherche à développer cette même complicité entre l'auteur et son lecteur.*

*Nous avons donc demandé à des metteurs en scène, à des comédiens, à des critiques de présenter la pièce et de nous faire partager leur joie de créateur. N'oublions pas que le théâtre est un jeu, « une scène libre au gré des fictions », disait Mallarmé. L'acteur, en revêtant son costume, « change de dimension, d'espèce, d'espace » (Léonor Fini).*

*Ici, la préface crée l'atmosphère à laquelle est convié le lecteur.*

*Mais il fallait éclairer la pièce. On ne peut aborder avec profit les chefs-d'œuvre du répertoire sans connaître les circonstances de leur création, l'intrigue, le jeu des personnages, l'accueil du public et de la critique, les ressorts dramatiques. Nous avons laissé le lecteur à la libre découverte du texte, mais aussi, pour le guider, nous avons fait appel à des universitaires, tous spécialistes du théâtre.*

*Nous avons voulu, en regroupant en fin de volume les Commentaires et les Notes, débarrasser le texte de ses « spots » scolaires. Toutes les interrogations qu'un élève, qu'un étudiant ou qu'un lecteur exempt de contrainte peuvent se poser, sont traitées dans six rubriques. Une abondante annotation vient compléter cette analyse.*

*Notre souhait a été de créer pour le théâtre de véritables Livres de Poche ayant leur place dans notre série Classique.*

L'Éditeur.

# Préface

*Le Misanthrope* a fait couler déjà beaucoup d'encre, et de salive. On a pu commenter à l'infini sa nature littéraire, sa problématique morale ou même politique. Le caractère de haute condensation de cette œuvre, son « sérieux », son ambition ont pu faire oublier parfois sa théâtralité, sa vie fragile et immédiate. Et cet oubli a touché non seulement les commentateurs, mais aussi parfois les gens de théâtre.

*Comédie*

*Le Misanthrope* est une comédie. C'est bête à dire, mais ce n'est pas si évident... Molière, on le sait, recherchait activement le succès dans la tragédie et le genre sérieux. Le public et l'opinion lui refusaient cette consécration, on lui demandait des farces. Il n'eut donc de cesse qu'il n'eût anobli la comédie. S'éloignant de la farce, il a su trouver une forme exemplaire à son sentiment comique et critique du monde environnant.

C'est vrai : *Le Misanthrope* est sans doute le point culminant, le plus abstrait apparemment de cet effort. De plus la gravité des propos tenus, des relations engagées dans cette pièce, a pu souvent faire oublier qu'il s'agissait d'une comédie. Molière lui-même a pu accréditer cette erreur de perspective : en reprenant certains passages du malheureux *Dom Garcie de Navarre* dans son *Misanthrope,* il semble en tenir pour le sérieux tragique de certaines situations...

Certes, le mécanisme d'une grande comédie est très proche du tragique. N'a-t-on pas écrit, à juste titre, qu'il n'est pas d'histoires plus abominables que celles que raconte Feydeau, pas de situations plus épouvantables ou plus cruelles que celles de Labiche ? Un personnage (ou plusieurs) se débattent dans un dilemme sans solution. Il leur en vient une série de malheurs. On en rit au lieu d'en pleurer : c'est le propre de la comédie.

Les anathèmes vengeurs de Jean-Jacques Rousseau contre cet aspect comique du *Misanthrope* ont sans doute beaucoup influencé la tradition pontifiante dont on a souvent entouré la pièce. Et la mauvaise conscience bourgeoise a parfois aussi fait le reste : Alceste critique l'hypocrisie dominante, et voici qu'on l'entoure de graves révérences pour mieux poursuivre l'hypocrisie. On prend Alceste au sérieux, pour mieux oublier le problème qu'il pose.

Je ne dis pas que *Le Misanthrope* soit une pantalonnade burlesque. Mais pourquoi faut-il que la profondeur, la violence même de la pièce, excluent l'ironie, le rire, ou même parfois le ridicule (je pense à la description jubilatoire de la jalousie maniaque du mâle dans la scène 3 de l'acte IV. Il faut qu'un homme soit très lucide sur ses péchés mignons pour en rire, mais il est sûr que Molière en rit, avec une honnêteté intellectuelle au-dessus de tout soupçon).

Sans doute ce rire a-t-il beaucoup à voir, par-delà les siècles bourgeois, avec l'humour que Freud décrit dans *Le Mot d'esprit et l'Inconscient* : les multiples gags des gestes manqués, des lapsus révélateurs, etc. C'est d'un humour profond et fort que Molière fait preuve ici.

Malade, blessé, trahi, bafoué, c'est beaucoup pour un seul homme. Et certains peuvent avoir peine à en rire. Molière était tout cela. Il ne devait pas en rire tous les jours. Mais ici, il a tiré de lui-même et de ses relations vécues ou imaginaires avec les autres une comédie où il règle aussi ses comptes avec lui-même. Fou jaloux, il fait une peinture railleuse du jaloux. Hypocondriaque et mélancolique, il dresse un bilan accusateur de la société, mais aussi de sa propre impuissance à la corriger. Ainsi, Alceste refuse la société, les « conversations », le théâtre, mais il le fait de manière si spectaculaire qu'il devient l'objet des regards, la vedette de ce théâtre mondain (*cf.* la magnifique étude de Marc Fumaroli dans la *Revue de la Comédie-Française,* nº 131/132). Avec son « je veux qu'on me distingue », il est bien comme les autres oiseaux qui peuplent cette cour des mirages. Sans le ressort et l'élan de la comédie, la représentation du *Misanthrope* a toute chance de devenir mortelle, même si elle est respectable. Et le comique ne saurait se cantonner aux marquis ahurissants de morgue, au sonnet d'Oronte ou à la lettre oubliée de Du Bois. Il va jusqu'au cœur du plus sérieux. Il s'appuie sur le sérieux. Il est sans doute même la condition de tout sérieux.

*Peinture fraîche/Fraîche peinture*

*Le Misanthrope* ayant été, comme tant d'autres, « panthéonisé », la culture l'ayant doté de l'encombrante qualité de chef-d'œuvre « éternel », on oublie trop que cette histoire doit sa sincérité à l'actualité brûlante dont elle est l'émanation.

*Le Misanthrope* est peut-être éternel. Nous ne le saurons jamais... Ce que nous savons, c'est qu'il perdure depuis le XVIIe siècle jusqu'à nous ; et cela, non pas à cause d'une peinture générale du cœur humain, mais parce que la France où nous vivons, avec son organisation, ses tensions vitales, naît en partie à l'avènement de Louis XIV : centralisation, domestication de la classe dirigeante, invention de la Cour moderne du prince et des relations particulières entre la Cour (le pouvoir) et la ville (l'intelligence bourgeoise). Ce curieux dosage de monarchie absolue, centralisée, et de mondanité s'abat sur Molière et ses contemporains en quelques mois, dès l'avènement du jeune Louis. Vite, tout le monde essaie de sauter dans la diligence, ou de sauver les meubles, ou d'arrêter tout ça. Vite, il faut créer de nouveaux réflexes, de nouvelles mœurs. Il faut s'adapter. Alceste refuse. Philinte ravale sa grogne et travaille son « flegme ». Célimène est la reine de la « ville ». Arsinoé essaie de placer ses « machines » à l'ombre de la Compagnie du Saint-Sacrement. Oronte se débrouille pour suivre les fantaisies royales. Chacun essaie de tenir debout, de garder ou de consolider sa place. Alceste, dépressif, veut partir.

Tout cela donne à la pièce son caractère d'actualité brûlante et d'instantanéité. On a pu y voir le débat « éternel » de l'amour fou et de la coquetterie (vision d'ailleurs misogyne : l'homme serait *toujours* blessé, la femme *toujours* perverse). En fait d'éternité, nous sommes face à un bouillon de culture en pleine évolution, et surtout face à des personnages qui expriment des idées momentanées, très concrètes, pas sûres d'elles-mêmes, y compris Philinte. Le choix de vie de ce dernier est fragile ; il n'est pas encore assuré d'avoir raison dans les siècles des siècles. « L'honnête homme » n'est encore, après tout, qu'une proposition. Il peut perdre la partie. Philinte gagne de justesse. Les Philinte gagnent le plus souvent dans la société. Mais ce n'est pas joué au début de notre pièce. Ou cela ne devrait pas l'être...

Dans le salon de Célimène, la peinture est toute fraîche. On n'y émet pas des pensées « en béton » sur le cœur humain. On s'y bat. On s'y débat. On y débat du « comment vivre ? ». Ce n'est pas une question de morale sans âge. C'est vraiment pour pouvoir vivre ce soir, demain, en 1666. C'est paradoxalement cette urgence, cette vivacité qui assurent à la pièce sa pérennité. Elle prend dans cette urgence l'élan interne d'un gyroscope et tourne immobile jusqu'à nous, qui sommes à la fois si loin et si scandaleusement semblables à ces aristocrates de théâtre, trois siècles plus tard, en pleine crise.

*Au travail*

Une fois cela posé, comment faire ? J'ai monté *Le Misanthrope* à deux reprises. Les questions étaient pratiquement les mêmes, et les réponses assez différentes. Le temps, quelques années, avait passé sur nos imaginations ; les acteurs étaient différents, le théâtre aussi.

Mais toujours, il y avait cette opposition entre des murs surchargés de tableaux, d'autres parois pures et claires (surexposées), et un sol de marbre : des lieux pour la parade, pour *apparaître* ; des lieux sans intimité, pour une aristocratie qui n'existe que dans le « paraître », mais qui, comme tout le monde, doit vivre ses problèmes personnels. Ici, l'intimité se vit dans les courants d'air d'un palais où les confidences se perdent, où à chaque instant un rival peut déboucher au bout du couloir, au coin de l'escalier.

Toujours, au pied de ces murs, glissant sur le marbre, les acteurs enchâssés dans leurs dentelles, rubans, canons ; parfois comme des poupées rangées contre le mur, jouant au jeu terrible et vide de la « conversation » ; parfois, soudain, pris d'agitation nerveuse et romantique, criant leur désarroi devant tant de contrainte (contraintes de la Cour et du cœur...).

Toujours l'alexandrin était pris comme le carcan, le corset de langage que ces personnes « en voie de modernisation » s'étaient donné à elles-mêmes : le vers comme façon de parler et mode de vie. Et Alceste ruait dans les brancards de la langue, écartelant l'alexandrin, éclaboussant la régularité prosodique avec ses « Morbleu ! », incapable de se plier aux règles.

Nous avons aussi raconté une vraie journée chez Célimène : matin frais au I, fin de matinée au II, l'heure de la sieste et du courrier au III, fin d'après-midi orageuse au IV, tard dans la nuit au V avec lever du jour à la fin. Ah ! l'unité de temps !

L'interprétation du *Misanthrope* est dominée depuis

trois cents ans par une oscillation entre le pôle comique et le pôle tragique. Et ceci est probablement déjà vrai dans le jeu de Molière lui-même qui équilibrait les deux éléments. Alceste, joué et écrit par Molière, ressemble parfois comme un frère à la bourrique têtue de Sganarelle. Mais on sait que Molière était pathétique à certains moments (quand les marquis riaient de lui). Armande avait en Célimène un rôle « cousu main », et cette tradition de brio acide, d'intelligence animale de la société mondaine, ne s'est jamais démentie.

Selon les époques, l'excès comique ou la tension tragique ont dominé. A l'époque pré-romantique (1780), Molé cassait une chaise en entrant en scène. Mais il semble que les grands Alceste aient le plus souvent été tirés vers le sérieux au XX<sup>e</sup> siècle, Lucien Guitry, Copeau, Pierre Dux, Jacques Dumesnil. Dans la période récente, par contre, un rééquilibrage s'est fait : Jean-Luc Boutté, Philippe Clévenot, Marc Delsaert chez Antoine Vitez, et Michel Aumont ont su trouver dans le ridicule excessif du personnage de quoi faire rire et pleurer à la fois.

Et Célimène ? Longtemps demeurée un magnifique exercice pour les plus brillantes « diseuses », elle devient elle aussi un individu « à haut risque ». Sa fin émouvante, romantique, jette une lumière plus humaine sur ses triomphes mondains des premiers actes.

En fin de compte, il me semble essentiel de ne pas se cantonner à l'histoire d'Alceste et de Célimène. Un bon *Misanthrope*, c'est celui où tous les personnages sont pris au sérieux, poussés à bout pour le plus drôle et pour le pire.

*La vie est un roman*

Ce qui me frappe beaucoup aujourd'hui, c'est la théâtralité « romanesque » de cette pièce. Le grand nombre de scènes à deux personnages et la localisation dans un

*Madeleine Renaud et Jean-Louis Barrault*
*(Théâtre Marigny, 1954).*

« salon » en ont fait longtemps une pièce de dialogue, de pur langage, de passion certes mais incarnée dans une succession de joutes de salon. La comédie de mœurs n'a pourtant jamais autant mérité son nom. Les nœuds infinis que Molière tresse entre ses personnages, sur le plan amoureux mais aussi social (ou proprement : politique), atteignent à la complexité d'un roman, telle qu'on la retrouvera plus tard au théâtre chez Tchékhov. Chaque personnage est une sorte de caractère, un type social de l'époque où les factions sont en lutte autour du jeune roi. On pourrait donc en rester à une épure sociologique. C'est alors que Molière attribue à chacun des secrets, des contradictions et des amours, dites ou non dites, qui rendent chacun hésitant, menteur, intrigant, etc. L'unité de temps joue aussi en ce sens : ce sont les vingt-quatre heures bien remplies d'un petit monde. La contrainte temporelle accélère et condense les relations et les aventures.

Le romanesque est d'autre part lié au sentiment. Dépossédés du pouvoir, les nobles messieurs et nobles dames voient la vie privée, et bien sûr l'amour, s'emparer d'eux. C'est ainsi que tout se complique. On était la fine fleur de la France. On n'est plus que des hommes et des femmes qui se débattent dans la toile d'araignée des sentiments. Le sentiment est omniprésent dans *Le Misanthrope,* qu'il porte sur les personnes (amour/haine) ou sur l'état du monde (colère/acceptation). Intensité des sentiments et concentration romanesque s'allient pour y déclencher mille épisodes qui n'apparaissent peut-être pas à première lecture, mais qui font de cette comédie une machine théâtrale aussi vive que certaines intrigues extérieurement bondissantes.

JEAN-PIERRE VINCENT.

# Le Misanthrope

*Comédie*

## *Acteurs*

ALCESTE, *amant de Célimène*

PHILINTE, *ami d'Alceste*

ORONTE, *amant de Célimène*

CÉLIMÈNE, *amante d'Alceste*

ÉLIANTE, *cousine de Célimène*

ARSINOÉ, *amie de Célimène*

ACASTE, CLITANDRE, *marquis*

BASQUE, *valet de Célimène*

UN GARDE *de la maréchaussée de France*

DU BOIS, *valet d'Alceste*

*La scène est à Paris.*

# Acte I

## *Scène 1*

PHILINTE, ALCESTE

PHILINTE

Qu'est-ce donc ? Qu'avez-vous ?

ALCESTE

Laissez-moi, je vous prie.

PHILINTE

Mais encor dites-moi quelle bizarrerie...

ALCESTE

Laissez-moi là, vous dis-je, et courez vous cacher.

PHILINTE

Mais on entend les gens, au moins, sans se fâcher.

ALCESTE

Moi, je veux me fâcher, et ne veux point entendre.

PHILINTE

Dans vos brusques chagrins[1] je ne puis vous [comprendre,
Et quoique amis enfin, je suis tout des premiers...

ALCESTE

Moi, votre ami ? rayez cela de vos papiers.
J'ai fait jusques ici profession de l'être ;
10 Mais après ce qu'en vous je viens de voir paraître,
Je vous déclare net que je ne le suis plus,
Et ne veux nulle place en des cœurs corrompus.

PHILINTE

Je suis donc bien coupable, Alceste, à votre compte ?

ALCESTE

Allez, vous devriez mourir de pure honte ;
Une telle action ne saurait s'excuser,
Et tout homme d'honneur s'en doit scandaliser.
Je vous vois accabler un homme de caresses[1],
Et témoigner pour lui les dernières tendresses ;
De protestations, d'offres et de serments,
20 Vous chargez la fureur de vos embrassements ;
Et quand je vous demande après quel est cet homme,
A peine pouvez-vous dire comme il se nomme ;
Votre chaleur pour lui tombe en vous séparant,
Et vous me le traitez, à moi, d'indifférent.
Morbleu ! c'est une chose indigne, lâche, infâme,
De s'abaisser ainsi jusqu'à trahir son âme ;
Et si, par un malheur, j'en avais fait autant,
Je m'irais, de regret, pendre tout à l'instant.

PHILINTE

Je ne vois pas, pour moi, que le cas soit pendable,
30 Et je vous supplierai d'avoir pour agréable
Que je me fasse un peu grâce sur votre arrêt,
Et ne me pende pas pour cela, s'il vous plaît.

ALCESTE

Que la plaisanterie est de mauvaise grâce !

PHILINTE

Mais, sérieusement, que voulez-vous qu'on fasse ?

ALCESTE

Je veux qu'on soit sincère, et qu'en homme d'honneur
On ne lâche aucun mot qui ne parte du cœur.

PHILINTE

Lorsqu'un homme vous vient embrasser avec joie,
Il faut bien le payer de la même monnoie[2],
Répondre, comme on peut, à ses empressements,

40 Et rendre offre pour offre, et serments pour serments.

ALCESTE

Non, je ne puis souffrir cette lâche méthode
Qu'affectent la plupart de vos gens à la mode ;
Et je ne hais rien tant que les contorsions
De tous ces grands faiseurs de protestations,
Ces affables donneurs d'embrassades frivoles,
Ces obligeants diseurs d'inutiles paroles,
Qui de civilités avec tous font combat,
Et traitent du même air l'honnête homme et le fat.
Quel avantage a-t-on qu'un homme vous caresse,
50 Vous jure amitié, foi, zèle, estime, tendresse,
Et vous fasse de vous un éloge éclatant,
Lorsqu'au premier faquin il court en faire autant ?
Non, non, il n'est point d'âme un peu bien située
Qui veuille d'une estime ainsi prostituée ;
Et la plus glorieuse a des régals peu chers,
Dès qu'on voit qu'on nous mêle avec tout l'univers :
Sur quelque préférence une estime se fonde,
Et c'est n'estimer rien qu'estimer tout le monde.
Puisque vous y donnez, dans ces vices du temps,
60 Morbleu ! vous n'êtes pas pour être de mes gens ;
Je refuse d'un cœur la vaste complaisance
Qui ne fait de mérite aucune différence ;
Je veux qu'on me distingue ; et, pour le trancher net,
L'ami du genre humain n'est point du tout mon fait.

PHILINTE

Mais, quand on est du monde, il faut bien que l'on
Quelques dehors civils[1] que l'usage demande. [rende

ALCESTE

Non, vous dis-je, on devrait châtier, sans pitié,
Ce commerce honteux de semblants d'amitié.
Je veux que l'on soit homme, et qu'en toute rencontre

70 Le fond de notre cœur dans nos discours se montre,
Que ce soit lui qui parle, et que nos sentiments
Ne se masquent jamais sous de vains compliments.

PHILINTE
Il est bien des endroits où la pleine franchise
Deviendrait ridicule et serait peu permise ;
Et parfois, n'en déplaise à votre austère honneur,
Il est bon de cacher ce qu'on a dans le cœur.
Serait-il à propos et de la bienséance
De dire à mille gens tout ce que d'eux on pense ?
Et quand on a quelqu'un qu'on hait ou qui déplaît,
80 Lui doit-on déclarer la chose comme elle est ?

ALCESTE
Oui.

PHILINTE
Quoi ? vous iriez dire à la vieille Émilie
Qu'à son âge il sied mal de faire la jolie,
Et que le blanc[1] qu'elle a scandalise chacun ?

ALCESTE
Sans doute[2].

PHILINTE
A Dorilas, qu'il est trop importun,
Et qu'il n'est, à la Cour, oreille qu'il ne lasse
A conter sa bravoure et l'éclat de sa race ?

ALCESTE
Fort bien.

PHILINTE
Vous vous moquez.

ALCESTE
Je ne me moque point,
Et je vais n'épargner personne sur ce point.
Mes yeux sont trop blessés, et la Cour et la ville[3]
90 Ne m'offrent rien qu'objets à m'échauffer la bile ;

J'entre en une humeur noire, en un chagrin profond,
Quand je vois vivre entre eux les hommes comme ils
Je ne trouve partout que lâche flatterie, [font ;
Qu'injustice, intérêt, trahison, fourberie ;
Je n'y puis plus tenir, j'enrage, et mon dessein
Est de rompre en visière[1] à tout le genre humain.

PHILINTE
Ce chagrin philosophe est un peu trop sauvage,
Je ris des noirs accès où je vous envisage,
Et crois voir en nous deux, sous mêmes soins nourris[2],
100 Ces deux frères que peint *L'École des maris*[3],
Dont...

ALCESTE
Mon Dieu ! laissons là vos comparaisons fades.

PHILINTE
Non : tout de bon, quittez toutes ces incartades.
Le monde par vos soins ne se changera pas ;
Et puisque la franchise a pour vous tant d'appas,
Je vous dirai tout franc que cette maladie,
Partout où vous allez, donne la comédie,
Et qu'un si grand courroux contre les mœurs du temps
Vous tourne en ridicule auprès de bien des gens.

ALCESTE
Tant mieux, morbleu ! tant mieux, c'est ce que je
[demande ;
110 Ce m'est un fort bon signe, et ma joie en est grande :
Tous les hommes me sont à tel point odieux,
Que je serais fâché d'être sage à leurs yeux.

PHILINTE
Vous voulez un grand mal à la nature humaine !

ALCESTE
Oui, j'ai conçu pour elle une effroyable haine.

PHILINTE

Tous les pauvres mortels, sans nulle exception,
Seront enveloppés dans cette aversion ?
Encore en est-il bien, dans le siècle où nous sommes...

ALCESTE

Non : elle est générale, et je hais tous les hommes :
Les uns, parce qu'ils sont méchants et malfaisants,
120 Et les autres, pour être aux méchants complaisants
Et n'avoir pas pour eux ces haines vigoureuses
Que doit donner le vice aux âmes vertueuses.
De cette complaisance on voit l'injuste excès
Pour le franc scélérat avec qui j'ai procès :
Au travers de son masque on voit à plein le traître ;
Partout il est connu pour tout ce qu'il peut être ;
Et ses roulements d'yeux et son ton radouci
N'imposent qu'à des gens qui ne sont point d'ici.
On sait que ce pied plat[1], digne qu'on le confonde,
130 Par de sales emplois s'est poussé dans le monde,
Et que par eux son sort de splendeur revêtu
Fait gronder le mérite et rougir la vertu.
Quelques titres honteux qu'en tous lieux on lui donne,
Son misérable honneur ne voit pour lui personne ;
Nommez-le fourbe, infâme et scélérat maudit,
Tout le monde en convient et nul n'y contredit.
Cependant sa grimace est partout bienvenue :
On l'accueille, on lui rit, partout il s'insinue ;
Et s'il est, par la brigue, un rang à disputer,
140 Sur le plus honnête homme on le voit l'emporter.
Têtebleu ! ce me sont de mortelles blessures,
De voir qu'avec le vice on garde des mesures ;
Et parfois il me prend des mouvements soudains
De fuir dans un désert[2] l'approche des humains.

PHILINTE

Mon Dieu, des mœurs du temps mettons-nous moins [en peine,
Et faisons un peu grâce à la nature humaine ;

Ne l'examinons point dans la grande rigueur,
Et voyons ses défauts avec quelque douceur.
Il faut, parmi le monde, une vertu traitable[1];
150 A force de sagesse, on peut être blâmable;
La parfaite raison fuit toute extrémité,
Et veut que l'on soit sage avec sobriété.
Cette grande raideur des vertus des vieux âges
Heurte trop notre siècle et les communs usages;
Elle veut aux mortels trop de perfection :
Il faut fléchir au temps sans obstination;
Et c'est une folie à nulle autre seconde
De vouloir se mêler de corriger le monde.
J'observe, comme vous, cent choses tous les jours,
160 Qui pourraient mieux aller, prenant un autre cours;
Mais quoi qu'à chaque pas je puisse voir paraître,
En courroux, comme vous, on ne me voit point être;
Je prends tout doucement les hommes comme ils sont,
J'accoutume mon âme à souffrir ce qu'ils font;
Et je crois qu'à la Cour, de même qu'à la ville,
Mon flegme[2] est philosophe, autant que votre bile.

ALCESTE

Mais ce flegme, Monsieur, qui raisonne si bien,
Ce flegme pourra-t-il ne s'échauffer de rien?
Et s'il faut, par hasard, qu'un ami vous trahisse,
170 Que, pour avoir vos biens, on dresse un artifice,
Ou qu'on tâche à semer de méchants bruits de vous,
Verrez-vous tout cela sans vous mettre en courroux?

PHILINTE

Oui, je vois ces défauts dont votre âme murmure
Comme vices unis à l'humaine nature;
Et mon esprit enfin n'est pas plus offensé
De voir un homme fourbe, injuste, intéressé,
Que de voir des vautours affamés de carnage,
Des singes malfaisants, et des loups pleins de rage.

ALCESTE
Je me verrai trahir, mettre en pièces, voler,
180 Sans que je sois... Morbleu ! je ne veux point parler,
Tant ce raisonnement est plein d'impertinence.

PHILINTE
Ma foi ! vous ferez bien de garder le silence.
Contre votre partie[1] éclatez un peu moins,
Et donnez au procès une part de vos soins.

ALCESTE
Je n'en donnerai point, c'est une chose dite.

PHILINTE
Mais qui voulez-vous donc qui pour vous sollicite[2] ?

ALCESTE
Qui je veux ? La raison, mon bon droit, l'équité.

PHILINTE
Aucun juge par vous ne sera visité ?

ALCESTE
Non. Est-ce que ma cause est injuste ou douteuse ?

PHILINTE
190 J'en demeure d'accord ; mais la brigue est fâcheuse,
Et...

ALCESTE
Non : j'ai résolu de n'en pas faire un pas.
J'ai tort, ou j'ai raison.

PHILINTE
Ne vous y fiez pas.

ALCESTE
Je ne remuerai point.

PHILINTE
Votre partie est forte,
Et peut, par sa cabale, entraîner...

ALCESTE

Il n'importe.

PHILINTE

Vous vous tromperez.

ALCESTE

Soit. J'en veux voir le succès[1].

PHILINTE

Mais...

ALCESTE

J'aurai le plaisir de perdre mon procès.

PHILINTE

Mais enfin...

ALCESTE

Je verrai, dans cette plaiderie[2],
Si les hommes auront assez d'effronterie,
Seront assez méchants, scélérats et pervers,
200 Pour me faire injustice aux yeux de l'univers.

PHILINTE

Quel homme !

ALCESTE

Je voudrais, m'en coûtât-il grand-chose,
Pour la beauté du fait avoir perdu ma cause.

PHILINTE

On se rirait de vous, Alceste, tout de bon,
Si l'on vous entendait parler de la façon.

ALCESTE

Tant pis pour qui rirait.

PHILINTE

Mais cette rectitude
Que vous voulez en tout avec exactitude,
Cette pleine droiture où vous vous renfermez,
La trouvez-vous ici dans ce que vous aimez ?

Je m'étonne, pour moi, qu'étant, comme il le semble,
210 Vous et le genre humain si fort brouillés ensemble,
Malgré tout ce qui peut vous le rendre odieux,
Vous ayez pris chez lui ce qui charme vos yeux ;
Et ce qui me surprend encore davantage,
C'est cet étrange choix où votre cœur s'engage.
La sincère Éliante a du penchant pour vous,
La prude[1] Arsinoé vous voit d'un œil fort doux :
Cependant à leurs vœux votre âme se refuse,
Tandis qu'en ses liens Célimène l'amuse[2],
De qui l'humeur coquette et l'esprit médisant
220 Semble si fort donner dans les mœurs d'à présent.
D'où vient que, leur portant une haine mortelle,
Vous pouvez bien souffrir ce qu'en tient cette belle ?
Ne sont-ce plus défauts dans un objet si doux ?
Ne les voyez-vous pas ? ou les excusez-vous ?

ALCESTE

Non, l'amour que je sens pour cette jeune veuve
Ne ferme point mes yeux aux défauts qu'on lui
[treuve[3],
Et je suis, quelque ardeur qu'elle m'ait pu donner,
Le premier à les voir, comme à les condamner.
Mais, avec tout cela, quoi que je puisse faire,
230 Je confesse mon faible, elle a l'art de me plaire :
J'ai beau voir ses défauts, et j'ai beau l'en blâmer,
En dépit qu'on en ait[4], elle se fait aimer ;
Sa grâce est la plus forte ; et sans doute[5] ma flamme
De ces vices du temps pourra purger son âme.

PHILINTE

Si vous faites cela, vous ne ferez pas peu.
Vous croyez être donc aimé d'elle ?

ALCESTE

Oui, parbleu !
Je ne l'aimerais pas, si je ne croyais l'être.

PHILINTE

Mais si son amitié pour vous se fait paraître,
D'où vient que vos rivaux vous causent de l'ennui[1] ?

ALCESTE

240 C'est qu'un cœur bien atteint veut qu'on soit tout à lui,
Et je ne viens ici qu'à dessein de lui dire
Tout ce que là-dessus ma passion m'inspire.

PHILINTE

Pour moi, si je n'avais qu'à former des désirs,
La cousine Éliante aurait tous mes soupirs ;
Son cœur, qui vous estime, est solide et sincère,
Et ce choix plus conforme était mieux votre affaire.

ALCESTE

Il est vrai : ma raison me le dit chaque jour ;
Mais la raison n'est pas ce qui règle l'amour.

PHILINTE

Je crains fort pour vos feux ; et l'espoir où vous êtes
250 Pourrait...

## *Scène 2*

ORONTE, ALCESTE, PHILINTE

ORONTE

J'ai su là-bas[2] que, pour quelques emplettes,
Éliante est sortie, et Célimène aussi ;
Mais comme l'on m'a dit que vous étiez ici,
J'ai monté pour vous dire, et d'un cœur véritable,
Que j'ai conçu pour vous une estime incroyable,
Et que, depuis longtemps, cette estime m'a mis
Dans un ardent désir d'être de vos amis.
Oui, mon cœur au mérite aime à rendre justice,

Et je brûle qu'un nœud d'amitié nous unisse :
Je crois qu'un ami chaud, et de ma qualité,
260 N'est pas assurément pour être rejeté.

*En cet endroit Alceste paraît tout rêveur, et semble n'entendre pas qu'Oronte lui parle.*

C'est à vous, s'il vous plaît, que ce discours s'adresse.

ALCESTE
A moi, Monsieur ?

ORONTE
A vous. Trouvez-vous qu'il vous [blesse ?

ALCESTE
Non pas ; mais la surprise est fort grande pour moi,
Et je n'attendais pas l'honneur que je reçoi[1].

ORONTE
L'estime où je vous tiens ne doit point vous surprendre,
Et de tout l'univers vous la pouvez prétendre[2].

ALCESTE
Monsieur...

ORONTE
L'État n'a rien qui ne soit au-dessous
Du mérite éclatant que l'on découvre en vous.

ALCESTE
Monsieur...

ORONTE
Oui, de ma part, je vous tiens préférable
270 A tout ce que j'y vois de plus considérable.

ALCESTE
Monsieur...

ORONTE
Sois-je du ciel écrasé, si je mens !
Et pour vous confirmer ici mes sentiments,

Souffrez qu'à cœur ouvert, Monsieur, je vous embrasse,
Et qu'en votre amitié je vous demande place.
Touchez là[1], s'il vous plaît. Vous me la promettez,
Votre amitié ?

ALCESTE

Monsieur...

ORONTE

Quoi ? vous y résistez ?

ALCESTE

Monsieur, c'est trop d'honneur que vous me voulez faire ;
Mais l'amitié demande un peu plus de mystère,
Et c'est assurément en profaner le nom
280 Que de vouloir le mettre à toute occasion.
Avec lumière et choix cette union veut naître ;
Avant que[2] nous lier, il faut nous mieux connaître ;
Et nous pourrions avoir telles complexions,
Que tous deux du marché nous nous repentirions.

ORONTE

Parbleu ! c'est là-dessus parler en homme sage,
Et je vous en estime encore davantage :
Souffrons donc que le temps forme des nœuds si doux ;
Mais, cependant[3], je m'offre entièrement à vous :
S'il faut faire à la Cour pour vous quelque ouverture[4],
290 On sait qu'auprès du Roi je fais quelque figure ;
Il m'écoute ; et dans tout il en use, ma foi !
Le plus honnêtement du monde avecque[5] moi.
Enfin je suis à vous de toutes les manières ;
Et comme votre esprit a de grandes lumières,
Je viens, pour commencer entre nous ce beau nœud,
Vous montrer un sonnet que j'ai fait depuis peu,
Et savoir s'il est bon qu'au public je l'expose.

ALCESTE

Monsieur, je suis mal propre à décider la chose ;
Veuillez m'en dispenser.

ORONTE

Pourquoi ?

ALCESTE

J'ai le défaut

300 D'être un peu plus sincère en cela qu'il ne faut.

ORONTE

C'est ce que je demande, et j'aurais lieu de plainte,
Si, m'exposant à vous pour me parler[1] sans feinte,
Vous alliez me trahir, et me déguiser rien[2].

ALCESTE

Puisqu'il vous plaît ainsi, Monsieur, je le veux bien.

ORONTE

*Sonnet...* C'est un sonnet. *L'espoir...* C'est une dame
Qui de quelque espérance avait flatté ma flamme.
*L'espoir...* Ce ne sont point de ces grands vers [pompeux[3],
Mais de petits vers doux, tendres et langoureux.

*A toutes ces interruptions il regarde Alceste.*

ALCESTE

Nous verrons bien.

ORONTE

*L'espoir...* Je ne sais si le style
310 Pourra vous en paraître assez net et facile,
Et si du choix des mots vous vous contenterez.

ALCESTE

Nous allons voir, Monsieur.

ORONTE

Au reste, vous saurez
Que je n'ai demeuré qu'un quart d'heure à le faire.

ALCESTE

Voyons, Monsieur ; le temps ne fait rien à l'affaire.

ORONTE

*L'espoir, il est vrai, nous soulage*
*Et nous berce un temps notre ennui ;*
*Mais, Philis, le triste avantage*
*Lorsque rien ne marche après lui !*

PHILINTE

Je suis déjà charmé de ce petit morceau.

ALCESTE, *bas.*

320 Quoi ? vous avez le front de trouver cela beau ?

ORONTE

*Vous eûtes de la complaisance ;*
*Mais vous en deviez moins avoir,*
*Et ne vous pas mettre en dépense*
*Pour ne me donner que l'espoir.*

PHILINTE

Ah ! qu'en termes galants ces choses-là sont mises !

ALCESTE, *bas.*

Morbleu ! vil complaisant, vous louez des sottises ?

ORONTE

*S'il faut qu'une attente éternelle*
*Pousse à bout l'ardeur de mon zèle*[1],
*Le trépas sera mon recours.*
330 *Vos soins ne m'en peuvent distraire :*
*Belle Philis, on désespère,*
*Alors qu'on espère toujours.*

PHILINTE

La chute[2] en est jolie, amoureuse, admirable.

ALCESTE, *bas.*

La peste de ta chute ! Empoisonneur au diable[3],
En eusses-tu fait une à te casser le nez !

PHILINTE

Je n'ai jamais ouï de vers si bien tournés.

ALCESTE
Morbleu !...

ORONTE
Vous me flattez, et vous croyez peut-être...

PHILINTE
Non, je ne flatte point.

ALCESTE, *bas.*
Et que fais-tu donc, traître ?

ORONTE, *à Alceste.*
Mais, pour vous, vous savez quel est notre traité :
340 Parlez-moi, je vous prie, avec sincérité.

ALCESTE
Monsieur, cette matière est toujours délicate,
Et sur le bel esprit nous aimons qu'on nous flatte.
Mais un jour, à quelqu'un, dont je tairai le nom,
Je disais, en voyant des vers de sa façon,
Qu'il faut qu'un galant homme[1] ait toujours grand [empire
Sur les démangeaisons qui nous prennent d'écrire ;
Qu'il doit tenir la bride aux grands empressements
Qu'on a de faire éclat de tels amusements ;
Et que, par la chaleur[2] de montrer ses ouvrages,
350 On s'expose à jouer de mauvais personnages[3].

ORONTE
Est-ce que vous voulez me déclarer par là,
Que j'ai tort de vouloir... ?

ALCESTE
Je ne dis pas cela ;
Mais je lui disais, moi, qu'un froid écrit assomme,
Qu'il ne faut que ce faible à décrier un homme[4],
Et qu'eût-on, d'autre part, cent belles qualités,
On regarde les gens par leurs méchants[5] côtés.

ORONTE

Est-ce qu'à mon sonnet vous trouvez à redire ?

ALCESTE

Je ne dis pas cela ; mais, pour ne point écrire[1],
Je lui mettais aux yeux comme, dans notre temps,
360 Cette soif a gâté de fort honnêtes gens.

ORONTE

Est-ce que j'écris mal ? et leur ressemblerais-je ?

ALCESTE

Je ne dis pas cela ; mais enfin, lui disais-je,
Quel besoin si pressant avez-vous de rimer ?
Et qui diantre vous pousse à vous faire imprimer ?
Si l'on peut pardonner l'essor d'un mauvais livre,
Ce n'est qu'aux malheureux qui composent pour vivre.
Croyez-moi, résistez à vos tentations,
Dérobez au public ces occupations ;
Et n'allez point quitter, de quoi que l'on vous somme,
370 Le nom que dans la Cour vous avez d'honnête homme,
Pour prendre, de la main d'un avide imprimeur,
Celui de ridicule et misérable auteur.
C'est ce que je tâchai de lui faire comprendre.

ORONTE

Voilà qui va fort bien, et je crois vous entendre[2].
Mais ne puis-je savoir ce que dans mon sonnet... ?

ALCESTE

Franchement, il est bon à mettre au cabinet[3].
Vous vous êtes réglé sur de méchants[4] modèles,
Et vos expressions ne sont point naturelles.
Qu'est-ce que *Nous berce un temps notre ennui* ?
380 Et que *Rien ne marche après lui* ?
Que *Ne vous pas mettre en dépense,*
*Pour ne me donner que l'espoir ?*
Et que *Philis, on désespère,*

*Alors qu'on espère toujours*?
Ce style figuré, dont on fait vanité,
Sort du bon caractère et de la vérité :
Ce n'est que jeu de mots, qu'affectation pure,
Et ce n'est point ainsi que parle la nature.
Le méchant goût du siècle, en cela, me fait peur.
390 Nos pères, tous grossiers[1], l'avaient beaucoup meilleur,
Et je prise bien moins tout ce que l'on admire,
Qu'une vieille chanson que je m'en vais vous dire :
*Si le roi m'avait donné*
*Paris, sa grand'ville,*
*Et qu'il me fallût quitter*
*L'amour de ma mie,*
*Je dirais au roi Henri :*
*« Reprenez votre Paris :*
*J'aime mieux ma mie, au gué !*
400 *J'aime mieux ma mie. »*
La rime n'est pas riche, et le style en est vieux :
Mais ne voyez-vous pas que cela vaut bien mieux
Que ces colifichets[2], dont le bon sens murmure,
Et que la passion parle là toute pure ?
*Si le roi m'avait donné*
*Paris, sa grand'ville,*
*Et qu'il me fallût quitter*
*L'amour de ma mie,*
*Je dirais au roi Henri :*
410 *« Reprenez votre Paris :*
*J'aime mieux ma mie, au gué !*
*J'aime mieux ma mie. »*
Voilà ce que peut dire un cœur vraiment épris.

*A Philinte.*

Oui, monsieur le rieur, malgré vos beaux esprits,
J'estime plus cela que la pompe fleurie
De tous ces faux brillants, où chacun se récrie[3].

ORONTE

Et moi, je vous soutiens que mes vers sont fort bons.

ALCESTE

Pour les trouver ainsi vous avez vos raisons ;
Mais vous trouverez bon que j'en puisse avoir d'autres,
420 Qui se dispenseront de se soumettre aux vôtres.

ORONTE

Il me suffit de voir que d'autres en font cas.

ALCESTE

C'est qu'ils ont l'art de feindre ; et moi, je ne l'ai pas.

ORONTE

Croyez-vous donc avoir tant d'esprit en partage ?

ALCESTE

Si je louais vos vers, j'en aurais davantage.

ORONTE

Je me passerai bien que vous les approuviez.

ALCESTE

Il faut bien, s'il vous plaît, que vous vous en passiez.

ORONTE

Je voudrais bien, pour voir, que, de votre manière,
Vous en composassiez sur la même matière.

ALCESTE

J'en pourrais, par malheur, faire d'aussi méchants[1] ;
430 Mais je me garderais de les montrer aux gens.

ORONTE

Vous me parlez bien ferme, et cette suffisance...

ALCESTE

Autre part que chez moi cherchez qui vous encense.

ORONTE

Mais, mon petit monsieur, prenez-le un peu moins
[haut.

ALCESTE

Ma foi ! mon grand monsieur, je le prends comme il [faut.

PHILINTE, *se mettant entre deux.*

Eh ! Messieurs, c'en est trop : laissez cela, de grâce.

ORONTE

Ah ! j'ai tort, je l'avoue, et je quitte la place.
Je suis votre valet, Monsieur, de tout mon cœur.

ALCESTE

Et moi, je suis, Monsieur, votre humble serviteur.

## *Scène 3*

PHILINTE, ALCESTE

PHILINTE

Hé bien ! vous le voyez : pour être trop sincère,
440 Vous voilà sur les bras une fâcheuse affaire ;
Et j'ai bien vu qu'Oronte, afin d'être flatté...

ALCESTE

Ne me parlez pas.

PHILINTE

Mais...

ALCESTE

Plus de société[1].

PHILINTE

C'est trop...

ALCESTE

Laissez-moi là.

PHILINTE

Si je...

ALCESTE

Point de langage.

PHILINTE

Mais quoi ?

ALCESTE

Je n'entends rien.

PHILINTE

Mais...

ALCESTE

Encore ?

PHILINTE

On outrage...

ALCESTE

Ah, parbleu ! c'en est trop ; ne suivez point mes pas.

PHILINTE

Vous vous moquez de moi, je ne vous quitte pas.

# Acte II

## *Scène 1*

ALCESTE, CÉLIMÈNE

ALCESTE

Madame, voulez-vous que je vous parle net ?
De vos façons d'agir je suis mal satisfait ;
Contre elles dans mon cœur trop de bile[1] s'assemble,
450 Et je sens qu'il faudra que nous rompions ensemble.
Oui, je vous tromperais de parler autrement ;
Tôt ou tard nous romprons indubitablement ;
Et je vous promettrais mille fois le contraire,
Que je ne serais pas en pouvoir de le faire.

CÉLIMÈNE

C'est pour me quereller donc, à ce que je voi[2],
Que vous avez voulu me ramener chez moi ?

ALCESTE

Je ne querelle point ; mais votre humeur, Madame,
Ouvre au premier venu trop d'accès dans votre âme :
Vous avez trop d'amants[3] qu'on voit vous obséder[4],
460 Et mon cœur de cela ne peut s'accommoder.

CÉLIMÈNE

Des amants que je fais me rendez-vous coupable ?
Puis-je empêcher les gens de me trouver aimable ?
Et lorsque pour me voir ils font de doux efforts,
Dois-je prendre un bâton pour les mettre dehors ?

ALCESTE

Non, ce n'est pas, Madame, un bâton qu'il faut [prendre,
Mais un cœur à leurs vœux moins facile et moins [tendre.
Je sais que vos appas[1] vous suivent en tous lieux ;
Mais votre accueil retient ceux qu'attirent vos yeux ;
Et sa douceur offerte à qui vous rend les armes
470 Achève sur les cœurs l'ouvrage de vos charmes.
Le trop riant espoir que vous leur présentez
Attache autour de vous leurs assiduités ;
Et votre complaisance un peu moins étendue
De tant de soupirants chasserait la cohue.
Mais au moins dites-moi, Madame, par quel sort
Votre Clitandre a l'heur[2] de vous plaire si fort ?
Sur quel fonds de mérite et de vertu sublime
Appuyez-vous en lui l'honneur de votre estime ?
Est-ce par l'ongle long qu'il porte au petit doigt[3]
480 Qu'il s'est acquis chez vous l'estime où l'on le voit ?
Vous êtes-vous rendue, avec tout le beau monde,
Au mérite éclatant de sa perruque blonde ?
Sont-ce ses grands canons[4] qui vous le font aimer ?
L'amas de ses rubans a-t-il su vous charmer ?
Est-ce par les appas de sa vaste rhingrave[5]
Qu'il a gagné votre âme en faisant votre esclave ?
Ou sa façon de rire et son ton de fausset
Ont-ils de vous toucher su trouver le secret ?

CÉLIMÈNE

Qu'injustement de lui vous prenez de l'ombrage !
490 Ne savez-vous pas bien pourquoi je le ménage,
Et que dans mon procès, ainsi qu'il m'a promis,
Il peut intéresser tout ce qu'il a d'amis ?

ALCESTE

Perdez votre procès, Madame, avec constance,
Et ne ménagez point un rival qui m'offense.

CÉLIMÈNE

Mais de tout l'univers vous devenez jaloux.

ALCESTE

C'est que tout l'univers est bien reçu de vous.

CÉLIMÈNE

C'est ce qui doit rasseoir[1] votre âme effarouchée,
Puisque ma complaisance est sur tous épanchée ;
Et vous auriez plus lieu de vous en offenser,
500 Si vous me la voyiez sur un seul ramasser.

ALCESTE

Mais moi, que vous blâmez de trop de jalousie,
Qu'ai-je de plus qu'eux tous, Madame, je vous prie ?

CÉLIMÈNE

Le bonheur de savoir que vous êtes aimé.

ALCESTE

Et quel lieu[2] de le croire a mon cœur enflammé ?

CÉLIMÈNE

Je pense qu'ayant pris le soin de vous le dire,
Un aveu de la sorte a de quoi vous suffire.

ALCESTE

Mais qui m'assurera que, dans le même instant,
Vous n'en disiez peut-être aux autres tout autant ?

CÉLIMÈNE

Certes, pour un amant, la fleurette[3] est mignonne,
510 Et vous me traitez là de gentille personne.
Hé bien ! pour vous ôter d'un semblable souci,
De tout ce que j'ai dit je me dédis ici,
Et rien ne saurait plus vous tromper que vous-même :
Soyez content.

ALCESTE

Morbleu ! faut-il que je vous aime ?
Ah ! que si de vos mains je rattrape mon cœur,

Je bénirai le Ciel de ce rare bonheur !
Je ne le cèle pas, je fais tout mon possible
A rompre de ce cœur l'attachement terrible ;
Mais mes plus grands efforts n'ont rien fait jusqu'ici,
520 Et c'est pour mes péchés que je vous aime ainsi.

CÉLIMÈNE
Il est vrai, votre ardeur est pour moi sans seconde[1].

ALCESTE
Oui, je puis là-dessus défier tout le monde.
Mon amour ne se peut concevoir, et jamais
Personne n'a, Madame, aimé comme je fais.

CÉLIMÈNE
En effet, la méthode en est toute nouvelle,
Car vous aimez les gens pour leur faire querelle ;
Ce n'est qu'en mots fâcheux qu'éclate votre ardeur,
Et l'on n'a vu jamais un amour si grondeur.

ALCESTE
Mais il ne tient qu'à vous que son chagrin ne passe.
530 A tous nos démêlés coupons chemin, de grâce,
Parlons à cœur ouvert, et voyons d'arrêter[2]...

## *Scène 2*

CÉLIMÈNE, ALCESTE, BASQUE

CÉLIMÈNE
Qu'est-ce ?

BASQUE
Acaste est là-bas[3].

CÉLIMÈNE
Hé bien ! faites monter.

*Danièle Lebrun et Michel Piccoli. Mise en scène de Marcel Bluwal (Théâtre de la Ville, 1969).*

## *Scène 3*

CÉLIMÈNE, ALCESTE

ALCESTE

Quoi ? l'on ne peut jamais vous parler tête à tête ?
A recevoir le monde on vous voit toujours prête ?
Et vous ne pouvez pas, un seul moment de tous,
Vous résoudre à souffrir de n'être pas chez vous ?

CÉLIMÈNE

Voulez-vous qu'avec lui je me fasse une affaire ?

ALCESTE

Vous avez des regards[1] qui ne sauraient me plaire.

CÉLIMÈNE

C'est un homme à jamais ne me le pardonner,
540 S'il savait que sa vue eût pu m'importuner.

ALCESTE

Et que vous fait cela pour vous gêner de sorte... ?

CÉLIMÈNE

Mon Dieu ! de ses pareils la bienveillance importe ;
Et ce sont de ces gens qui, je ne sais comment,
Ont gagné dans la Cour de parler hautement.
Dans tous les entretiens on les voit s'introduire ;
Ils ne sauraient servir, mais ils peuvent vous nuire ;
Et jamais, quelque appui qu'on puisse avoir d'ailleurs,
On ne doit se brouiller avec ces grands brailleurs.

ALCESTE

Enfin, quoi qu'il en soit, et sur quoi qu'on se fonde,
550 Vous trouvez des raisons pour souffrir tout le monde ;
Et les précautions de votre jugement...

## *Scène 4*

BASQUE, ALCESTE, CÉLIMÈNE

BASQUE

Voici Clitandre encor, Madame.

ALCESTE. *Il témoigne s'en vouloir aller.*

Justement.

CÉLIMÈNE

Où courez-vous ?

ALCESTE

Je sors.

CÉLIMÈNE

Demeurez.

ALCESTE

Pour quoi faire ?

CÉLIMÈNE

Demeurez.

ALCESTE

Je ne puis.

CÉLIMÈNE

Je le veux.

ALCESTE

Point d'affaire[1].

Ces conversations ne font que m'ennuyer,
Et c'est trop que vouloir me les faire essuyer[2].

CÉLIMÈNE

Je le veux, je le veux.

ALCESTE

Non, il m'est impossible.

CÉLIMÈNE

Hé bien ! allez, sortez, il vous est tout loisible.

## *Scène 5*

ÉLIANTE, PHILINTE, ACASTE, CLITANDRE, ALCESTE, CÉLIMÈNE, BASQUE

ÉLIANTE

Voici les deux marquis qui montent avec nous :
560 Vous l'est-on venu dire ?

CÉLIMÈNE

Oui. Des sièges pour tous.

*A Alceste.*

Vous n'êtes pas sorti ?

ALCESTE

Non ; mais je veux, Madame,
Ou pour eux, ou pour moi, faire expliquer votre âme.

CÉLIMÈNE

Taisez-vous.

ALCESTE

Aujourd'hui, vous vous expliquerez.

CÉLIMÈNE

Vous perdez le sens.

ALCESTE

Point. Vous vous déclarerez.

CÉLIMÈNE

Ah !

ALCESTE

Vous prendrez parti.

CÉLIMÈNE

Vous vous moquez, je pense.

ALCESTE

Non, mais vous choisirez : c'est trop de patience.

CLITANDRE

Parbleu ! je viens du Louvre, où Cléonte, au levé[1],
Madame, a bien paru ridicule achevé.
N'a-t-il point quelque ami qui pût, sur ses manières,
570 D'un charitable avis lui prêter les lumières ?

CÉLIMÈNE

Dans le monde, à vrai dire, il se barbouille[2] fort ;
Partout il porte un air qui saute aux yeux d'abord,
Et lorsqu'on le revoit après un peu d'absence,
On le retrouve encor plus plein d'extravagance.

ACASTE

Parbleu ! s'il faut parler de gens extravagants,
Je viens d'en essuyer un des plus fatigants :
Damon, le raisonneur, qui m'a, ne vous déplaise,
Une heure, au grand soleil, tenu hors de ma chaise[3].

CÉLIMÈNE

C'est un parleur étrange, et qui trouve toujours
580 L'art de ne vous rien dire avec de grands discours ;
Dans les propos qu'il tient, on ne voit jamais goutte,
Et ce n'est que du bruit que tout ce qu'on écoute.

ÉLIANTE, *à Philinte.*

Ce début n'est pas mal ; et contre le prochain
La conversation prend un assez bon train.

CLITANDRE

Timante encor, Madame, est un bon caractère[4].

CÉLIMÈNE

C'est de la tête aux pieds un homme tout mystère,
Qui vous jette en passant un coup d'œil égaré,

Et, sans aucune affaire, est toujours affairé.
Tout ce qu'il vous débite en grimaces abonde ;
590 A force de façons, il assomme le monde ;
Sans cesse il a, tout bas, pour rompre l'entretien,
Un secret à vous dire, et ce secret n'est rien ;
De la moindre vétille il fait une merveille,
Et jusques au bonjour, il dit tout à l'oreille.

ACASTE
Et Géralde, Madame ?

CÉLIMÈNE
Ô l'ennuyeux conteur !
Jamais on ne le voit sortir[1] du grand seigneur ;
Dans le brillant commerce il se mêle sans cesse,
Et ne cite jamais que duc, prince ou princesse :
La qualité l'entête[2] ; et tous ses entretiens
600 Ne sont que de chevaux, d'équipage et de chiens ;
Il tutaye[3] en parlant ceux du plus haut étage,
Et le nom de Monsieur est chez lui hors d'usage.

CLITANDRE
On dit qu'avec Bélise il est du dernier bien.

CÉLIMÈNE
Le pauvre esprit de femme, et le sec entretien !
Lorsqu'elle vient me voir, je souffre le martyre :
Il faut suer sans cesse à chercher que lui dire,
Et la stérilité de son expression
Fait mourir à tous coups la conversation.
En vain, pour attaquer son stupide silence,
610 De tous les lieux communs vous prenez l'assistance :
Le beau temps et la pluie, et le froid et le chaud
Sont des fonds qu'avec elle on épuise bientôt
Cependant sa visite, assez[4] insupportable,
Traîne en une longueur encore épouvantable ;
Et l'on demande l'heure, et l'on bâille vingt fois,
Qu'elle grouille[5] aussi peu qu'une pièce de bois.

ACASTE

Que vous semble d'Adraste ?

CÉLIMÈNE

Ah ! quel orgueil extrême !
C'est un homme gonflé de l'amour de soi-même.
Son mérite jamais n'est content de la Cour :
620 Contre elle il fait métier de pester chaque jour,
Et l'on ne donne emploi, charge ni bénéfice,
Qu'à tout ce qu'il se croit on ne fasse injustice.

CLITANDRE

Mais le jeune Cléon, chez qui vont aujourd'hui
Nos plus honnêtes gens, que dites-vous de lui ?

CÉLIMÈNE

Que de son cuisinier il s'est fait un mérite,
Et que c'est à sa table à qui l'on rend visite.

ÉLIANTE

Il prend soin d'y servir des mets fort délicats.

CÉLIMÈNE

Oui ; mais je voudrais bien qu'il ne s'y servît pas :
C'est un fort méchant plat que sa sotte personne,
630 Et qui gâte, à mon goût, tous les repas qu'il donne.

PHILINTE

On fait assez de cas de son oncle Damis :
Qu'en dites-vous, Madame ?

CÉLIMÈNE

Il est de mes amis.

PHILINTE

Je le trouve honnête homme, et d'un air assez sage.

CÉLIMÈNE

Oui ; mais il veut avoir trop d'esprit, dont[1] j'enrage ;
Il est guindé sans cesse ; et dans tous ses propos,
On voit qu'il se travaille à dire de bons mots.
Depuis que dans la tête il s'est mis d'être habile,

Rien ne touche son goût, tant il est difficile ;
Il veut voir des défauts à tout ce qu'on écrit,
640 Et pense que louer n'est pas d'un bel esprit,
Que c'est être savant que trouver à redire,
Qu'il n'appartient qu'aux sots d'admirer et de rire,
Et qu'en n'approuvant rien des ouvrages du temps,
Il se met au-dessus de tous les autres gens ;
Aux conversations même il trouve à reprendre :
Ce sont propos trop bas pour y daigner descendre ;
Et les deux bras croisés, du haut de son esprit
Il regarde en pitié tout ce que chacun dit.

ACASTE
Dieu me damne, voilà son portrait véritable.

CLITANDRE
650 Pour bien peindre les gens vous êtes admirable.

ALCESTE
Allons, ferme, poussez[1], mes bons amis de cour ;
Vous n'en épargnez point, et chacun a son tour :
Cependant aucun d'eux à vos yeux ne se montre,
Qu'on ne vous voie, en hâte, aller à sa rencontre,
Lui présenter la main, et d'un baiser flatteur
Appuyer les serments d'être son serviteur.

CLITANDRE
Pourquoi s'en prendre à nous ? Si ce qu'on dit vous [blesse,
Il faut que le reproche à Madame s'adresse.

ALCESTE
Non, morbleu ! c'est à vous ; et vos ris[2] complaisants
660 Tirent de son esprit tous ces traits médisants.
Son humeur satirique est sans cesse nourrie
Par le coupable encens de votre flatterie ;
Et son cœur à railler trouverait moins d'appas,
S'il avait observé qu'on ne l'applaudît pas.
C'est ainsi qu'aux flatteurs on doit partout se prendre[3]
Des vices où l'on voit les humains se répandre.

PHILINTE

Mais pourquoi pour ces gens un intérêt si grand,
Vous qui condamneriez ce qu'en eux on reprend ?

CÉLIMÈNE

Et ne faut-il pas bien que Monsieur contredise ?
670 A la commune voix veut-on qu'il se réduise,
Et qu'il ne fasse pas éclater en tous lieux
L'esprit contrariant qu'il a reçu des cieux ?
Le sentiment[1] d'autrui n'est jamais pour lui plaire ;
Il prend toujours en main l'opinion contraire,
Et penserait paraître un homme du commun,
Si l'on voyait qu'il fût de l'avis de quelqu'un.
L'honneur de contredire a pour lui tant de charmes,
Qu'il prend contre lui-même assez souvent les armes ;
Et ses vrais sentiments sont combattus par lui,
680 Aussitôt qu'il les voit dans la bouche d'autrui.

ALCESTE

Les rieurs sont pour vous, Madame, c'est tout dire,
Et vous pouvez pousser contre moi la satire.

PHILINTE

Mais il est véritable aussi que votre esprit
Se gendarme[2] toujours contre tout ce qu'on dit,
Et que, par un chagrin que lui-même il avoue,
Il ne saurait souffrir qu'on blâme, ni qu'on loue.

ALCESTE

C'est que jamais, morbleu ! les hommes n'ont raison,
Que le chagrin contre eux est toujours de saison,
Et que je vois qu'ils sont, sur toutes les affaires,
690 Loueurs impertinents[3] ou censeurs téméraires[4].

CÉLIMÈNE

Mais...

ALCESTE

Non, Madame, non ; quand j'en devrais mourir,
Vous avez des plaisirs que je ne puis souffrir ;

Et l'on a tort ici de nourrir dans votre âme
Ce grand attachement aux défauts qu'on y blâme.

CLITANDRE

Pour moi, je ne sais pas, mais j'avouerai tout haut
Que j'ai cru jusqu'ici Madame sans défaut.

ACASTE

De grâces et d'attraits je vois qu'elle est pourvue ;
Mais les défauts qu'elle a ne frappent point ma vue.

ALCESTE

Ils frappent tous la mienne ; et loin de m'en cacher,
700 Elle sait que j'ai soin de les lui reprocher.
Plus on aime quelqu'un, moins il faut qu'on le flatte ;
A ne rien pardonner le pur amour éclate ;
Et je bannirais, moi, tous ces lâches amants
Que je verrais soumis à tous mes sentiments,
Et dont, à tous propos, les molles complaisances
Donneraient de l'encens à mes extravagances.

CÉLIMÈNE

Enfin, s'il faut qu'à vous s'en rapportent les cœurs,
On doit, pour bien aimer, renoncer aux douceurs,
Et du parfait amour mettre l'honneur suprême
710 A bien injurier les personnes qu'on aime.

ÉLIANTE

L'amour, pour l'ordinaire, est peu fait à ces lois,
Et l'on voit les amants vanter toujours leur choix ;
Jamais leur passion n'y voit rien de blâmable,
Et dans l'objet aimé tout leur devient aimable :
Ils comptent les défauts pour des perfections,
Et savent y donner de favorables noms.
La pâle est aux jasmins en blancheur comparable ;
La noire à faire peur, une brune adorable ;
La maigre a de la taille et de la liberté ;
720 La grasse est dans son port pleine de majesté ;

La malpropre sur soi[1], de peu d'attraits chargée,
Est mise sous le nom de beauté négligée ;
La géante paraît une déesse aux yeux ;
La naine, un abrégé des merveilles des cieux ;
L'orgueilleuse a le cœur digne d'une couronne ;
La fourbe a de l'esprit ; la sotte est toute bonne ;
La trop grande parleuse est d'agréable humeur ;
Et la muette garde une honnête pudeur.
C'est ainsi qu'un amant dont l'ardeur est extrême
730 Aime jusqu'aux défauts des personnes qu'il aime[2].

ALCESTE
Et moi, je soutiens, moi...

CÉLIMÈNE
Brisons là ce discours,
Et dans la galerie allons faire deux tours.
Quoi ? vous vous en allez, Messieurs ?

CLITANDRE *et* ACASTE
Non pas, Madame.

ALCESTE
La peur de leur départ occupe fort votre âme.
Sortez quand vous voudrez, Messieurs ; mais j'avertis
Que je ne sors qu'après que vous serez sortis.

ACASTE
A moins de voir Madame en être importunée,
Rien ne m'appelle ailleurs de toute la journée.

CLITANDRE
Moi, pourvu que je puisse être au petit couché[3],
740 Je n'ai point d'autre affaire où je sois attaché.

CÉLIMÈNE
C'est pour rire, je crois.

ALCESTE
Non, en aucune sorte ;
Nous verrons si c'est moi que vous voudrez qui sorte.

## *Scène 6*

BASQUE, ALCESTE, CÉLIMÈNE, ÉLIANTE,
ACASTE, PHILINTE, CLITANDRE

BASQUE

Monsieur, un homme est là qui voudrait vous parler,
Pour affaire, dit-il, qu'on ne peut reculer.

ALCESTE

Dis-lui que je n'ai point d'affaires si pressées.

BASQUE

Il porte une jaquette à grand'basques plissées[1],
Avec du dor[2] dessus.

CÉLIMÈNE

Allez voir ce que c'est,
Ou bien faites-le entrer.

ALCESTE

Qu'est-ce donc qu'il vous plaît?
Venez, Monsieur.

## *Scène 7*

UN GARDE, ALCESTE, CÉLIMÈNE, ÉLIANTE,
ACASTE, PHILINTE, CLITANDRE

LE GARDE

Monsieur, j'ai deux mots à vous dire.

ALCESTE

750 Vous pouvez parler haut, Monsieur, pour m'en
[instruire.

LE GARDE

Messieurs les Maréchaux[1], dont j'ai commandement,
Vous mandent de venir les trouver promptement,
Monsieur.

ALCESTE

Qui ? moi, Monsieur ?

LE GARDE

Vous-même.

ALCESTE

Et pour quoi faire ?

PHILINTE

C'est d'Oronte et de vous la ridicule affaire.

CÉLIMÈNE

Comment ?

PHILINTE

Oronte et lui se sont tantôt bravés
Sur certains petits vers, qu'il n'a pas approuvés ;
Et l'on veut assoupir la chose en sa naissance.

ALCESTE

Moi, je n'aurai jamais de lâche complaisance.

PHILINTE

Mais il faut suivre l'ordre : allons, disposez-vous...

ALCESTE

760 Quel accommodement veut-on faire entre nous ?
La voix de ces messieurs me condamnera-t-elle
A trouver bons les vers qui font notre querelle ?
Je ne me dédis point de ce que j'en ai dit,
Je les trouve méchants.

PHILINTE

Mais, d'un plus doux esprit...

ALCESTE

Je n'en démordrai point : les vers sont exécrables.

PHILINTE

Vous devez faire voir des sentiments traitables.
Allons, venez.

ALCESTE

J'irai, mais rien n'aura pouvoir
De me faire dédire.

PHILINTE

Allons vous faire voir.

ALCESTE

Hors qu'un commandement exprès du Roi me vienne
770 De trouver bons les vers dont on se met en peine,
Je soutiendrai toujours, morbleu ! qu'ils sont mauvais,
Et qu'un homme est pendable après les avoir faits.

*A Clitandre et Acaste, qui rient.*

Par la sangbleu ! Messieurs, je ne croyais pas être
Si plaisant que je suis[1].

CÉLIMÈNE

Allez vite paraître
Où vous devez.

ALCESTE

J'y vais, Madame, et sur mes pas
Je reviens en ce lieu, pour vuider[2] nos débats.

# Acte III

## *Scène 1*

CLITANDRE, ACASTE

CLITANDRE

Cher marquis, je te vois l'âme bien satisfaite :
Toute chose t'égaye, et rien ne t'inquiète.
En bonne foi, crois-tu, sans t'éblouir les yeux,
780 Avoir de grands sujets de paraître joyeux ?

ACASTE

Parbleu ! je ne vois pas, lorsque je m'examine,
Où prendre aucun sujet d'avoir l'âme chagrine.
J'ai du bien, je suis jeune, et sors d'une maison
Qui se peut dire noble avec quelque raison ;
Et je crois, par le rang que me donne ma race,
Qu'il est fort peu d'emplois dont je ne sois en passe[1].
Pour le cœur[2], dont surtout nous devons faire cas,
On sait, sans vanité, que je n'en manque pas,
Et l'on m'a vu pousser, dans le monde, une affaire[3]
790 D'une assez vigoureuse et gaillarde manière.
Pour de l'esprit, j'en ai sans doute, et du bon goût
A juger sans étude et raisonner de tout,
A faire aux nouveautés, dont je suis idolâtre,
Figure de savant sur les bancs du théâtre,
Y décider en chef, et faire du fracas
A tous les beaux endroits qui méritent des *ha !*
Je suis assez adroit ; j'ai bon air, bonne mine,

Les dents belles surtout, et la taille fort fine.
Quant à se mettre bien, je crois, sans me flatter,
800 Qu'on serait mal venu de me le disputer.
Je me vois dans l'estime autant qu'on y puisse être,
Fort aimé du beau sexe, et bien auprès du maître[1].
Je crois qu'avec cela, mon cher marquis, je croi[2]
Qu'on peut, par tout pays, être content de soi.

CLITANDRE

Oui ; mais trouvant ailleurs des conquêtes faciles,
Pourquoi pousser ici des soupirs inutiles ?

ACASTE

Moi ? Parbleu ! je ne suis de taille ni d'humeur
A pouvoir d'une belle essuyer la froideur.
C'est aux gens mal tournés, aux mérites vulgaires,
810 A brûler constamment[3] pour des beautés sévères,
A languir à leurs pieds et souffrir leurs rigueurs,
A chercher le secours des soupirs et des pleurs,
Et tâcher, par des soins d'une très longue suite,
D'obtenir ce qu'on nie[4] à leur peu de mérite.
Mais les gens de mon air, marquis, ne sont pas faits
Pour aimer à crédit[5], et faire tous les frais.
Quelque rare que soit le mérite des belles,
Je pense, Dieu merci ! qu'on vaut son prix comme elles,
Que pour se faire honneur d'un cœur comme le mien,
820 Ce n'est pas la raison[6] qu'il ne leur coûte rien,
Et qu'au moins, à tout mettre en de justes balances,
Il faut qu'à frais communs se fassent les avances.

CLITANDRE

Tu penses donc, marquis, être fort bien ici[7] ?

ACASTE

J'ai quelque lieu, marquis, de le penser ainsi.

CLITANDRE

Crois-moi, détache-toi de cette erreur extrême :
Tu te flattes, mon cher, et t'aveugles toi-même.

ACASTE

Il est vrai, je me flatte et m'aveugle en effet.

CLITANDRE

Mais qui[1] te fait juger ton bonheur si parfait ?

ACASTE

Je me flatte.

CLITANDRE

Sur quoi fonder tes conjectures ?

ACASTE

830 Je m'aveugle.

CLITANDRE

En as-tu des preuves qui soient sûres ?

ACASTE

Je m'abuse, te dis-je.

CLITANDRE

Est-ce que de ses vœux
Célimène t'a fait quelques secrets aveux ?

ACASTE

Non, je suis maltraité.

CLITANDRE

Réponds-moi, je te prie.

ACASTE

Je n'ai que des rebuts.

CLITANDRE

Laissons la raillerie,
Et me dis quel espoir on peut t'avoir donné.

ACASTE

Je suis le misérable, et toi le fortuné :
On a pour ma personne une aversion grande,
Et quelqu'un de ces jours il faut que je me pende.

CLITANDRE

O çà, veux-tu, marquis, pour ajuster[2] nos vœux,

840 Que nous tombions d'accord d'une chose tous deux ?
Que qui pourra montrer une marque certaine
D'avoir meilleure part au cœur de Célimène,
L'autre ici fera place au vainqueur prétendu
Et le délivrera d'un rival assidu ?

ACASTE
Ah, parbleu ! tu me plais avec un tel langage,
Et du bon de mon cœur à cela je m'engage.
Mais, chut !

## *Scène 2*

CÉLIMÈNE, ACASTE, CLITANDRE

CÉLIMÈNE
Encore ici ?

CLITANDRE
L'amour retient nos pas.

CÉLIMÈNE
Je viens d'ouïr entrer un carrosse là-bas[1] :
Savez-vous qui c'est ?

CLITANDRE
Non.

## *Scène 3*

BASQUE, CÉLIMÈNE, ACASTE, CLITANDRE

BASQUE
Arsinoé, Madame,
850 Monte ici pour vous voir.

CÉLIMÈNE

Que me veut cette femme ?

BASQUE

Éliante là-bas est à l'entretenir.

CÉLIMÈNE

De quoi s'avise-t-elle et qui[1] la fait venir ?

ACASTE

Pour prude consommée[2] en tous lieux elle passe,
Et l'ardeur de son zèle[3]...

CÉLIMÈNE

Oui, oui, franche grimace :
Dans l'âme elle est du monde[4], et ses soins tentent tout
Pour accrocher quelqu'un, sans en venir à bout.
Elle ne saurait voir qu'avec un œil d'envie
Les amants déclarés dont une autre est suivie ;
Et son triste mérite, abandonné de tous,
860 Contre le siècle aveugle est toujours en courroux.
Elle tâche à couvrir d'un faux voile de prude
Ce que chez elle on voit d'affreuse solitude ;
Et pour sauver l'honneur de ses faibles appas,
Elle attache du crime au pouvoir qu'ils n'ont pas.
Cependant un amant plairait fort à la dame,
Et même pour Alceste elle a tendresse d'âme.
Ce qu'il me rend de soins outrage ses attraits,
Elle veut que ce soit un vol que je lui fais ;
Et son jaloux dépit, qu'avec peine elle cache,
870 En tous endroits, sous main, contre moi se détache[5].
Enfin je n'ai rien vu de si sot à mon gré,
Elle est impertinente au suprême degré,
Et...

## *Scène 4*

ARSINOÉ, CÉLIMÈNE

CÉLIMÈNE

Ah ! quel heureux sort en ce lieu vous amène ?
Madame, sans mentir, j'étais de vous en peine.

ARSINOÉ

Je viens pour quelque avis que j'ai cru vous devoir.

CÉLIMÈNE

Ah, mon Dieu ! que je suis contente de vous voir !

ARSINOÉ

Leur départ ne pouvait plus à propos se faire.

CÉLIMÈNE

Voulons-nous nous asseoir ?

ARSINOÉ

Il n'est pas nécessaire,
Madame. L'amitié doit surtout éclater
880 Aux choses qui le plus nous peuvent importer ;
Et comme il n'en est point de plus grande importance
Que celles de l'honneur et de la bienséance,
Je viens, par un avis qui touche votre honneur,
Témoigner l'amitié que pour vous a mon cœur.
Hier j'étais chez des gens de vertu singulière,
Où sur vous du discours on tourna la matière ;
Et là, votre conduite, avec ses grands éclats,
Madame, eut le malheur qu'on ne la loua pas.
Cette foule de gens dont vous souffrez visite,
890 Votre galanterie, et les bruits qu'elle excite
Trouvèrent des censeurs plus qu'il n'aurait fallu,
Et bien plus rigoureux que je n'eusse voulu.
Vous pouvez bien penser quel parti je sus prendre :

Je fis ce que je pus pour vous pouvoir défendre,
Je vous excusai fort sur votre intention,
Et voulus de votre âme être la caution.
Mais vous savez qu'il est des choses dans la vie
Qu'on ne peut excuser, quoiqu'on en ait envie ;
Et je me vis contrainte à demeurer d'accord
900 Que l'air dont vous viviez vous faisait un peu tort,
Qu'il prenait dans le monde une méchante face,
Qu'il n'est conte fâcheux que partout on n'en fasse,
Et que, si vous vouliez, tous vos déportements[1]
Pourraient moins donner prise aux mauvais jugements.
Non que j'y croie, au fond, l'honnêteté blessée :
Me préserve le Ciel d'en avoir la pensée !
Mais aux ombres du crime on prête aisément foi,
Et ce n'est pas assez de bien vivre pour soi.
Madame, je vous crois l'âme trop raisonnable,
910 Pour ne pas prendre bien cet avis profitable,
Et pour l'attribuer qu'aux mouvements secrets
D'un zèle qui m'attache à tous vos intérêts.

CÉLIMÈNE

Madame, j'ai beaucoup de grâces à vous rendre :
Un tel avis m'oblige, et loin de le mal prendre,
J'en prétends reconnaître à l'instant la faveur,
Par un avis aussi qui touche votre honneur ;
Et comme je vous vois vous montrer mon amie
En m'apprenant les bruits que de moi l'on publie,
Je veux suivre, à mon tour, un exemple si doux,
920 En vous avertissant de ce qu'on dit de vous.
En un lieu, l'autre jour, où je faisais visite,
Je trouvai quelques gens d'un très rare mérite,
Qui, parlant des vrais soins d'une âme qui vit bien,
Firent tomber sur vous, Madame, l'entretien.
Là, votre pruderie et vos éclats de zèle
Ne furent pas cités comme un fort bon modèle :
Cette affectation d'un grave extérieur,

Vos discours éternels de sagesse et d'honneur,
Vos mines et vos cris aux ombres d'indécence
930 Que d'un mot ambigu peut avoir l'innocence,
Cette hauteur d'estime où vous êtes de vous,
Et ces yeux de pitié que vous jetez sur tous,
Vos fréquentes leçons, et vos aigres censures
Sur des choses qui sont innocentes et pures,
Tout cela, si je puis vous parler franchement,
Madame, fut blâmé d'un commun sentiment.
A quoi bon, disaient-ils, cette mine modeste,
Et ce sage dehors que dément tout le reste ?
Elle est à bien prier exacte au dernier point ;
940 Mais elle bat ses gens, et ne les paye point.
Dans tous les lieux dévots elle étale un grand zèle ;
Mais elle met du blanc[1] et veut paraître belle.
Elle fait des tableaux couvrir les nudités ;
Mais elle a de l'amour pour les réalités.
Pour moi, contre chacun je pris votre défense,
Et leur assurai fort que c'était médisance ;
Mais tous les sentiments combattirent le mien ;
Et leur conclusion fut que vous feriez bien
De prendre moins de soin des actions des autres,
950 Et de vous mettre un peu plus en peine des vôtres ;
Qu'on doit se regarder soi-même un fort long temps,
Avant que de songer à condamner les gens ;
Qu'il faut mettre le poids d'une vie exemplaire
Dans les corrections qu'aux autres on veut faire ;
Et qu'encor vaut-il mieux s'en remettre, au besoin,
A ceux à qui le Ciel en a commis le soin[2].
Madame, je vous crois aussi trop raisonnable,
Pour ne pas prendre bien cet avis profitable,
Et pour l'attribuer qu'aux mouvements secrets
960 D'un zèle qui m'attache à tous vos intérêts.

ARSINOÉ

A quoi qu'en reprenant on soit assujettie[3],

Je ne m'attendais pas à cette repartie,
Madame, et je vois bien, par ce qu'elle a d'aigreur,
Que mon sincère avis vous a blessée au cœur.

CÉLIMÈNE

Au contraire, Madame ; et si l'on était sage,
Ces avis mutuels seraient mis en usage :
On détruirait par là, traitant[1] de bonne foi,
Ce grand aveuglement où chacun est pour soi.
Il ne tiendra qu'à vous qu'avec le même zèle
970 Nous ne continuions cet office fidèle,
Et ne prenions grand soin de nous dire, entre nous,
Ce que nous entendrons, vous de moi, moi de vous.

ARSINOÉ

Ah ! Madame, de vous je ne puis rien entendre :
C'est en moi que l'on peut trouver fort à reprendre.

CÉLIMÈNE

Madame, on peut, je crois, louer et blâmer tout,
Et chacun a raison suivant l'âge ou le goût.
Il est une saison pour la galanterie ;
Il en est une aussi propre à la pruderie.
On peut, par politique, en prendre le parti,
980 Quand de nos jeunes ans l'éclat est amorti :
Cela sert à couvrir de fâcheuses disgrâces.
Je ne dis pas qu'un jour je ne suive vos traces :
L'âge amènera tout, et ce n'est pas le temps,
Madame, comme on sait, d'être prude à vingt ans.

ARSINOÉ

Certes, vous vous targuez d'un bien faible avantage,
Et vous faites sonner terriblement votre âge.
Ce que de plus que vous on en pourrait avoir
N'est pas un si grand cas pour s'en tant prévaloir ;
Et je ne sais pourquoi votre âme ainsi s'emporte,
990 Madame, à me pousser de cette étrange sorte.

CÉLIMÈNE

Et moi, je ne sais pas, Madame, aussi pourquoi
On vous voit, en tous lieux, vous déchaîner sur moi.
Faut-il de vos chagrins sans cesse à moi vous prendre ?
Et puis-je mais[1] des soins qu'on ne va pas vous [rendre ?
Si ma personne aux gens inspire de l'amour,
Et si l'on continue à m'offrir chaque jour
Des vœux que votre cœur peut souhaiter qu'on m'ôte,
Je n'y saurais que faire, et ce n'est pas ma faute :
Vous avez le champ libre, et je n'empêche pas
1000 Que pour les attirer vous n'ayez des appas.

ARSINOÉ

Hélas ! et croyez-vous que l'on se mette en peine
De ce nombre d'amants dont vous faites la vaine,
Et qu'il ne nous soit pas fort aisé de juger
A quel prix aujourd'hui l'on peut les engager ?
Pensez-vous faire croire, à voir comme tout roule,
Que votre seul mérite attire cette foule ?
Qu'ils ne brûlent pour vous que d'un honnête amour,
Et que pour vos vertus ils vous font tous la cour ?
On ne s'aveugle point par de vaines défaites[2],
1010 Le monde n'est point dupe ; et j'en vois qui sont faites
A pouvoir inspirer de tendres sentiments,
Qui chez elles pourtant ne fixent point d'amants ;
Et de là nous pouvons tirer des conséquences,
Qu'on n'acquiert point leurs cœurs sans de grandes [avances,
Qu'aucun pour nos beaux yeux n'est notre soupirant,
Et qu'il faut acheter tous les soins qu'on nous rend.
Ne vous enflez donc point d'une si grande gloire
Pour les petits brillants[3] d'une faible victoire ;
Et corrigez un peu l'orgueil de vos appas,
1020 De traiter pour cela les gens de haut en bas.
Si nos yeux enviaient les conquêtes des vôtres,

Je pense qu'on pourrait faire comme les autres,
Ne se point ménager, et vous faire bien voir
Que l'on a des amants quand on en veut avoir.

CÉLIMÈNE

Ayez-en donc, Madame, et voyons cette affaire :
Par ce rare secret efforcez-vous de plaire ;
Et sans...

ARSINOÉ

Brisons, Madame, un pareil entretien :
Il pousserait trop loin votre esprit et le mien ;
Et j'aurais pris déjà le congé qu'il faut prendre
1030 Si mon carrosse encor ne m'obligeait d'attendre.

CÉLIMÈNE

Autant qu'il vous plaira vous pouvez arrêter[1],
Madame, et là-dessus rien ne doit vous hâter ;
Mais, sans vous fatiguer de ma cérémonie[2],
Je m'en vais vous donner meilleure compagnie ;
Et Monsieur, qu'à propos le hasard fait venir,
Remplira mieux ma place à vous entretenir.
Alceste, il faut que j'aille écrire un mot de lettre,
Que, sans me faire tort, je ne saurais remettre,
Soyez avec Madame : elle aura la bonté
1040 D'excuser aisément mon incivilité.

## *Scène 5*

ALCESTE, ARSINOÉ

ARSINOÉ

Vous voyez, elle veut que je vous entretienne,
Attendant un moment que mon carrosse vienne ;
Et jamais tous ses soins ne pouvaient m'offrir rien
Qui me fût plus charmant qu'un pareil entretien.

En vérité, les gens d'un mérite sublime
Entraînent de chacun et l'amour et l'estime ;
Et le vôtre, sans doute, a des charmes secrets
Qui font entrer mon cœur dans tous vos intérêts.
Je voudrais que la Cour, par un regard propice,
1050 A ce que vous valez rendît plus de justice :
Vous avez à vous plaindre, et je suis en courroux,
Quand je vois chaque jour qu'on ne fait rien pour vous.

ALCESTE
Moi, Madame ! Et sur quoi pourrais-je en rien [prétendre ?
Quel service à l'État est-ce qu'on m'a vu rendre ?
Qu'ai-je fait, s'il vous plaît, de si brillant de soi,
Pour me plaindre à la Cour qu'on ne fait rien pour [moi ?

ARSINOÉ
Tous ceux sur qui la Cour jette des yeux propices,
N'ont pas toujours rendu de ces fameux services.
Il faut l'occasion, ainsi que le pouvoir,
1060 Et le mérite enfin que vous nous faites voir
Devrait...

ALCESTE
Mon Dieu ! laissons mon mérite, de grâce ;
De quoi voulez-vous là que la Cour s'embarrasse ?
Elle aurait fort à faire, et ses soins seraient grands
D'avoir à déterrer le mérite des gens.

ARSINOÉ
Un mérite éclatant se déterre lui-même :
Du vôtre, en bien des lieux, on fait un cas extrême ;
Et vous saurez de moi qu'en deux fort bons endroits
Vous fûtes hier loué par des gens d'un grand poids.

ALCESTE
Eh ! Madame, l'on loue aujourd'hui tout le monde,
1070 Et le siècle par là n'a rien qu'on ne confonde :

Tout est d'un grand mérite également doué,
Ce n'est plus un honneur que de se voir loué ;
D'éloges on regorge, à la tête on les jette,
Et mon valet de chambre est mis dans la Gazette[1].

ARSINOÉ

Pour moi, je voudrais bien que, pour vous montrer
[mieux,
Une charge à la Cour vous pût frapper les yeux.
Pour peu que d'y songer vous nous fassiez les mines[2],
On peut pour vous servir remuer des machines[3],
Et j'ai des gens en main que j'emploierai pour vous,
1080 Qui vous feront à tout un chemin assez doux.

ALCESTE

Et que voudriez-vous, Madame, que j'y fisse ?
L'humeur dont je me sens veut que je m'en bannisse.
Le Ciel ne m'a point fait, en me donnant le jour,
Une âme compatible avec l'air de la Cour ;
Je ne me trouve point les vertus nécessaires
Pour y bien réussir et faire mes affaires.
Être franc et sincère est mon plus grand talent ;
Je ne sais point jouer[4] les hommes en parlant ;
Et qui n'a pas le don de cacher ce qu'il pense
1090 Doit faire en ce pays fort peu de résidence.
Hors de la Cour, sans doute, on n'a pas cet appui
Et ces titres d'honneur qu'elle donne aujourd'hui ;
Mais on n'a pas aussi, perdant ces avantages,
Le chagrin de jouer de fort sots personnages :
On n'a point à souffrir mille rebuts cruels,
On n'a point à louer les vers de messieurs tels,
A donner de l'encens à madame une telle,
Et de nos francs marquis essuyer la cervelle[5].

ARSINOÉ

Laissons, puisqu'il vous plaît, ce chapitre de Cour ;
1100 Mais il faut que mon cœur vous plaigne en votre
[amour ;

Et pour vous découvrir là-dessus mes pensées,
Je souhaiterais fort vos ardeurs mieux placées.
Vous méritez, sans doute, un sort beaucoup plus doux,
Et celle qui vous charme est indigne de vous.

ALCESTE
Mais, en disant cela, songez-vous, je vous prie,
Que cette personne est, Madame, votre amie ?

ARSINOÉ
Oui ; mais ma conscience est blessée en effet[1]
De souffrir plus longtemps le tort que l'on vous fait ;
L'état où je vous vois afflige trop mon âme,
1110 Et je vous donne avis qu'on trahit votre flamme.

ALCESTE
C'est me montrer, Madame, un tendre mouvement,
Et de pareils avis obligent un amant !

ARSINOÉ
Oui, toute mon amie[2], elle est et je la nomme
Indigne d'asservir le cœur d'un galant homme ;
Et le sien n'a pour vous que de feintes douceurs.

ALCESTE
Cela se peut, Madame : on ne voit pas les cœurs ;
Mais votre charité se serait bien passée
De jeter dans le mien une telle pensée.

ARSINOÉ
Si vous ne voulez pas être désabusé,
1120 Il faut ne vous rien dire, il est assez aisé.

ALCESTE
Non ; mais sur ce sujet quoi que l'on nous expose,
Les doutes sont fâcheux plus que toute autre chose ;
Et je voudrais, pour moi, qu'on ne me fît savoir
Que ce qu'avec clarté l'on peut me faire voir.

ARSINOÉ
Hé bien ! c'est assez dit ; et sur cette matière

Vous allez recevoir une pleine lumière.
Oui, je veux que de tout vos yeux vous fassent foi :
Donnez-moi seulement la main jusque chez moi ;
Là je vous ferai voir une preuve fidèle
1130 De l'infidélité du cœur de votre belle ;
Et si pour d'autres yeux le vôtre peut brûler,
On pourra vous offrir de quoi vous consoler.

# Acte IV

## *Scène 1*

ÉLIANTE, PHILINTE

PHILINTE

Non, l'on n'a point vu d'âme à manier si dure,
Ni d'accommodement plus pénible à conclure :
En vain de tous côtés on l'a voulu tourner,
Hors de son sentiment on n'a pu l'entraîner ;
Et jamais différend si bizarre, je pense,
N'avait de ces messieurs[1] occupé la prudence.
« Non, Messieurs, disait-il, je ne me dédis point,
1140 Et tomberai d'accord de tout, hors de ce point.
De quoi s'offense-t-il ? et que veut-il me dire ?
Y va-t-il de sa gloire à ne pas bien écrire ?
Que lui fait mon avis, qu'il a pris de travers ?
On peut être honnête homme et faire mal des vers :
Ce n'est point à l'honneur que touchent ces matières ;
Je le tiens galant homme en toutes les manières,
Homme de qualité, de mérite et de cœur,
Tout ce qu'il vous plaira, mais fort méchant auteur.
Je louerai, si l'on veut, son train et sa dépense,
1150 Son adresse à cheval, aux armes, à la danse ;
Mais pour louer ses vers, je suis son serviteur ;
Et lorsque d'en mieux faire on n'a pas le bonheur,
On ne doit de rimer avoir aucune envie,
Qu'on n'y soit condamné sur peine de la vie[2]. »

Enfin toute la grâce et l'accommodement
Où s'est, avec effort, plié son sentiment,
C'est de dire, croyant adoucir bien son style :
« Monsieur, je suis fâché d'être si difficile,
Et pour l'amour de vous, je voudrais, de bon cœur,
1160 Avoir trouvé tantôt votre sonnet meilleur. »
Et dans une embrassade, on leur a, pour conclure,
Fait vite envelopper toute la procédure.

ÉLIANTE

Dans ses façons d'agir, il est fort singulier ;
Mais j'en fais, je l'avoue, un cas particulier,
Et la sincérité dont son âme se pique
A quelque chose, en soi, de noble et d'héroïque.
C'est une vertu rare au siècle d'aujourd'hui,
Et je la voudrais voir partout comme chez lui.

PHILINTE

Pour moi, plus je le vois, plus surtout je m'étonne
1170 De cette passion où son cœur s'abandonne :
De l'humeur dont le Ciel a voulu le former,
Je ne sais pas comment il s'avise d'aimer ;
Et je sais moins encor comment votre cousine
Peut être la personne où son penchant l'incline.

ÉLIANTE

Cela fait assez voir que l'amour, dans les cœurs,
N'est pas toujours produit par un rapport d'humeurs ;
Et toutes ces raisons de douces sympathies
Dans cet exemple-ci se trouvent démenties.

PHILINTE

Mais croyez-vous qu'on l'aime, aux choses qu'on peut [voir ?

ÉLIANTE

1180 C'est un point qu'il n'est pas fort aisé de savoir.
Comment pouvoir juger s'il est vrai qu'elle l'aime ?

Son cœur de ce qu'il sent n'est pas bien sûr lui-même ;
Il aime quelquefois sans qu'il le sache bien,
Et croit aimer aussi parfois qu'il n'en est rien.

PHILINTE

Je crois que notre ami, près de cette cousine,
Trouvera des chagrins plus qu'il ne s'imagine ;
Et s'il avait mon cœur, à dire vérité,
Il tournerait ses vœux tout d'un autre côté,
Et par un choix plus juste, on le verrait, Madame,
1190 Profiter des bontés que lui montre votre âme.

ÉLIANTE

Pour moi, je n'en fais point de façons, et je croi [1]
Qu'on doit, sur de tels points, être de bonne foi :
Je ne m'oppose point à toute sa tendresse ;
Au contraire, mon cœur pour elle s'intéresse ;
Et si c'était qu'à moi la chose pût tenir,
Moi-même à ce qu'il aime on me verrait l'unir.
Mais si dans un tel choix, comme tout se peut faire,
Son amour éprouvait quelque destin contraire,
S'il fallait que d'un autre on [2] couronnât les feux,
1200 Je pourrais me résoudre à recevoir ses vœux ;
Et le refus souffert, en pareille occurrence,
Ne m'y ferait trouver aucune répugnance.

PHILINTE

Et moi, de mon côté, je ne m'oppose pas,
Madame, à ces bontés qu'ont pour lui vos appas ;
Et lui-même, s'il veut, il peut bien vous instruire
De ce que là-dessus j'ai pris soin de lui dire.
Mais si, par un hymen qui les joindrait eux deux,
Vous étiez hors d'état de recevoir ses vœux,
Tous les miens tenteraient la faveur éclatante
1210 Qu'avec tant de bonté votre âme lui présente ;
Heureux si, quand son cœur s'y pourra dérober,
Elle pouvait sur moi, Madame, retomber.

ÉLIANTE

Vous vous divertissez, Philinte.

PHILINTE

Non, Madame,

Et je vous parle ici du meilleur de mon âme.
J'attends l'occasion de m'offrir hautement
Et de tous mes souhaits j'en presse le moment.

## *Scène 2*

ALCESTE, ÉLIANTE, PHILINTE

ALCESTE

Ah ! faites-moi raison[1], Madame, d'une offense
Qui vient de triompher de toute ma constance.

ÉLIANTE

Qu'est-ce donc ? Qu'avez-vous qui vous puisse
[émouvoir ?

ALCESTE

1220 J'ai ce que sans mourir je ne puis concevoir ;
Et le déchaînement de toute la nature
Ne m'accablerait pas comme cette aventure.
C'en est fait... Mon amour... Je ne saurais parler.

ÉLIANTE

Que votre esprit un peu tâche à se rappeler.

ALCESTE

Ô juste Ciel ! faut-il qu'on joigne à tant de grâces
Les vices odieux des âmes les plus basses ?

ÉLIANTE

Mais encor qui vous peut... ?

ALCESTE

Ah ! tout est ruiné ;
Je suis, je suis trahi, je suis assassiné :
Célimène... Eût-on pu croire cette nouvelle ?
1230 Célimène me trompe et n'est qu'une infidèle.

ÉLIANTE

Avez-vous, pour le croire, un juste fondement ?

PHILINTE

Peut-être est-ce un soupçon conçu légèrement,
Et votre esprit jaloux prend parfois des chimères...

ALCESTE

Ah, morbleu ! mêlez-vous, Monsieur, de vos affaires.
C'est de sa trahison n'être que trop certain,
Que l'avoir, dans ma poche, écrite de sa main.
Oui, Madame, une lettre écrite pour Oronte
A produit à mes yeux ma disgrâce et sa honte :
Oronte, dont j'ai cru qu'elle fuyait les soins,
1240 Et que de mes rivaux je redoutais le moins.

PHILINTE

Une lettre peut bien tromper par l'apparence,
Et n'est pas quelquefois si coupable qu'on pense.

ALCESTE

Monsieur, encore un coup, laissez-moi, s'il vous plaît,
Et ne prenez souci que de votre intérêt.

ÉLIANTE

Vous devez modérer vos transports, et l'outrage...

ALCESTE

Madame, c'est à vous qu'appartient cet ouvrage ;
C'est à vous que mon cœur a recours aujourd'hui
Pour pouvoir s'affranchir de son cuisant ennui.
Vengez-moi d'une ingrate et perfide parente,
1250 Qui trahit lâchement une ardeur si constante ;
Vengez-moi de ce trait qui doit vous faire horreur.

ÉLIANTE

Moi, vous venger! Comment?

ALCESTE

En recevant mon cœur.
Acceptez-le, Madame, au lieu de l'infidèle :
C'est par là que je puis prendre vengeance d'elle;
Et je la veux punir par les sincères vœux,
Par le profond amour, les soins respectueux,
Les devoirs empressés et l'assidu service
Dont ce cœur va vous faire un ardent sacrifice.

ÉLIANTE

Je compatis, sans doute[1], à ce que vous souffrez,
1260 Et ne méprise point le cœur que vous m'offrez;
Mais peut-être le mal n'est pas si grand qu'on pense,
Et vous pourrez quitter ce désir de vengeance.
Lorsque l'injure part d'un objet[2] plein d'appas,
On fait force desseins qu'on n'exécute pas :
On a beau voir, pour rompre, une raison puissante,
Une coupable aimée est bientôt innocente;
Tout le mal qu'on lui veut se dissipe aisément,
Et l'on sait ce que c'est qu'un courroux d'un amant.

ALCESTE

Non, non, Madame, non : l'offense est trop mortelle,
1270 Il n'est point de retour, et je romps avec elle;
Rien ne saurait changer le dessein que j'en fais,
Et je me punirais de l'estimer jamais.
La voici. Mon courroux redouble à cette approche;
Je vais de sa noirceur lui faire un vif reproche,
Pleinement la confondre, et vous porter après
Un cœur tout dégagé de ses trompeurs attraits.

## *Scène 3*

CÉLIMÈNE, ALCESTE

ALCESTE

Ô Ciel ! de mes transports puis-je être ici le maître ?

CÉLIMÈNE

Ouais[1] ! Quel est donc le trouble où je vous vois [paraître ?

Et que me veulent dire et ces soupirs poussés,

1280 Et ces sombres regards que sur moi vous lancez ?

ALCESTE

Que toutes les horreurs dont une âme est capable

A vos déloyautés n'ont rien de comparable ;

Que le sort, les démons, et le Ciel en courroux[2]

N'ont jamais rien produit de si méchant que vous[3].

CÉLIMÈNE

Voilà certainement des douceurs que j'admire.

ALCESTE

Ah ! ne plaisantez point, il n'est pas temps de rire :

Rougissez bien plutôt, vous en avez raison ;

Et j'ai de sûrs témoins de votre trahison.

Voilà ce que marquaient les troubles de mon âme :

1290 Ce n'était pas en vain que s'alarmait ma flamme ;

Par ces fréquents soupçons, qu'on trouvait odieux,

Je cherchais le malheur qu'ont rencontré mes yeux ;

Et malgré tous vos soins et votre adresse à feindre,

Mon astre me disait ce que j'avais à craindre.

Mais ne présumez pas que, sans être vengé,

Je souffre le dépit de me voir outragé.

Je sais que sur les vœux on n'a point de puissance,

Que l'amour veut partout naître sans dépendance,

Que jamais par la force on n'entra dans un cœur,
1300 Et que toute âme est libre à nommer son vainqueur.
Aussi ne trouverais-je aucun sujet de plainte,
Si pour moi votre bouche avait parlé sans feinte ;
Et, rejetant[1] mes vœux dès le premier abord,
Mon cœur n'aurait eu droit de s'en plaindre qu'au sort.
Mais d'un aveu trompeur voir ma flamme applaudie,
C'est une trahison, c'est une perfidie,
Qui ne saurait trouver de trop grands châtiments,
Et je puis tout permettre à mes ressentiments.
Oui, oui, redoutez tout après un tel outrage ;
1310 Je ne suis plus à moi, je suis tout à la rage :
Percé du coup mortel dont vous m'assassinez,
Mes sens par la raison ne sont plus gouvernés,
Je cède aux mouvements d'une juste colère,
Et je ne réponds pas de ce que je puis faire.

CÉLIMÈNE

D'où vient donc, je vous prie, un tel emportement ?
Avez-vous, dites-moi, perdu le jugement ?

ALCESTE

Oui, oui, je l'ai perdu, lorsque dans votre vue
J'ai pris, pour mon malheur, le poison qui me tue,
Et que j'ai cru trouver quelque sincérité
1320 Dans les traîtres appas dont je fus enchanté.

CÉLIMÈNE

De quelle trahison pouvez-vous donc vous plaindre ?

ALCESTE

Ah ! que ce cœur est double et sait bien l'art de feindre !
Mais pour le mettre à bout j'ai des moyens tous prêts :
Jetez ici les yeux, et connaissez vos traits[2] ;
Ce billet découvert suffit pour vous confondre,
Et contre ce témoin on n'a rien à répondre.

CÉLIMÈNE

Voilà donc le sujet qui vous trouble l'esprit ?

*Marc Delsaert et Jany Gastaldi. Mise en scène d'Antoine Vitez (Festival d'Avignon, 1978).*

ALCESTE
Vous ne rougissez pas en voyant cet écrit ?

CÉLIMÈNE
Et par quelle raison faut-il que j'en rougisse ?

ALCESTE
1330 Quoi ? vous joignez ici l'audace à l'artifice ?
Le désavouerez-vous, pour n'avoir point de seing[1] ?

CÉLIMÈNE
Pourquoi désavouer un billet de ma main ?

ALCESTE
Et vous pouvez le voir sans demeurer confuse
Du crime dont vers moi son style vous accuse ?

CÉLIMÈNE
Vous êtes, sans mentir, un grand extravagant.

ALCESTE
Quoi ? vous bravez ainsi ce témoin convaincant ?
Et ce qu'il m'a fait voir de douceur pour Oronte
N'a donc rien qui m'outrage, et qui vous fasse honte ?

CÉLIMÈNE
Oronte ! Qui vous dit que la lettre est pour lui ?

ALCESTE
1340 Les gens qui dans mes mains l'ont remise aujourd'hui.
Mais je veux consentir qu'elle soit pour un autre :
Mon cœur en a-t-il moins à se plaindre du vôtre ?
En serez-vous vers moi moins coupable en effet ?

CÉLIMÈNE
Mais si c'est une femme à qui va ce billet,
En quoi vous blesse-t-il ? et qu'a-t-il de coupable ?

ALCESTE
Ah ! le détour est bon, et l'excuse admirable.
Je ne m'attendais pas, je l'avoue, à ce trait,
Et me voilà, par là, convaincu tout à fait.

Osez-vous recourir à ces ruses grossières ?
1350 Et croyez-vous les gens si privés de lumières ?
Voyons, voyons un peu par quel biais, de quel air
Vous voulez soutenir un mensonge si clair,
Et comment vous pourrez tourner pour une femme
Tous les mots d'un billet qui montre tant de flamme.
Ajustez, pour couvrir un manquement de foi,
Ce que je m'en vais lire...

CÉLIMÈNE

Il ne me plaît pas, moi.
Je vous trouve plaisant d'user d'un tel empire,
Et de me dire au nez ce que vous m'osez dire.

ALCESTE

Non, non : sans s'emporter, prenez un peu souci
1360 De me justifier les termes que voici.

CÉLIMÈNE

Non, je n'en veux rien faire, et dans cette occurrence,
Tout ce que vous croirez m'est de peu d'importance.

ALCESTE

De grâce, montrez-moi, je serai satisfait,
Qu'on peut pour une femme expliquer ce billet.

CÉLIMÈNE

Non, il est pour Oronte, et je veux qu'on le croie ;
Je reçois tous ses soins avec beaucoup de joie ;
J'admire ce qu'il dit, j'estime ce qu'il est,
Et je tombe d'accord de tout ce qu'il vous plaît.
Faites, prenez parti, que rien ne vous arrête,
1370 Et ne me rompez pas davantage la tête.

ALCESTE

Ciel ! rien de plus cruel peut-il être inventé ?
Et jamais cœur fut-il de la sorte traité ?
Quoi ? d'un juste courroux je suis ému contre elle,

C'est moi qui me viens plaindre, et c'est moi qu'on [querelle !
On pousse ma douleur et mes soupçons à bout,
On me laisse tout croire, on fait gloire de tout ;
Et cependant mon cœur est encore assez lâche
Pour ne pouvoir briser la chaîne qui l'attache,
Et pour ne pas s'armer d'un généreux mépris
1380 Contre l'ingrat objet dont il est trop épris !
Ah ! que vous savez bien ici, contre moi-même,
Perfide, vous servir de ma faiblesse extrême,
Et ménager pour vous l'excès prodigieux
De ce fatal amour né de vos traîtres yeux !
Défendez-vous au moins d'un crime qui m'accable,
Et cessez d'affecter d'être envers moi coupable ;
Rendez-moi, s'il se peut, ce billet innocent :
A vous prêter les mains ma tendresse consent ;
Efforcez-vous ici de paraître fidèle,
1390 Et je m'efforcerai, moi, de vous croire telle.

CÉLIMÈNE

Allez, vous êtes fou, dans vos transports jaloux,
Et ne méritez pas l'amour qu'on a pour vous.
Je voudrais bien savoir qui pourrait me contraindre
A descendre pour vous aux bassesses de feindre
Et pourquoi, si mon cœur penchait d'autre côté,
Je ne le dirais pas avec sincérité.
Quoi ? de mes sentiments l'obligeante assurance
Contre tous vos soupçons ne prend pas ma défense ?
Auprès d'un tel garant, sont-ils de quelque poids ?
1400 N'est-ce pas m'outrager que d'écouter leur voix ?
Et puisque notre cœur fait un effort extrême
Lorsqu'il peut se résoudre à confesser qu'il aime,
Puisque l'honneur du sexe, ennemi de nos feux,
S'oppose fortement à de pareils aveux,
L'amant qui voit pour lui franchir un tel obstacle
Doit-il impunément douter de cet oracle ?

Et n'est-il pas coupable en ne s'assurant[1] pas
A ce qu'on ne dit point qu'après de grands combats ?
Allez, de tels soupçons méritent ma colère,
1410 Et vous ne valez pas que l'on vous considère :
Je suis sotte, et veux mal[2] à ma simplicité
De conserver encor pour vous quelque bonté ;
Je devrais autre part attacher mon estime,
Et vous faire un sujet de plainte légitime.

ALCESTE

Ah ! traîtresse, mon faible est étrange pour vous !
Vous me trompez sans doute avec des mots si doux ;
Mais il n'importe, il faut suivre ma destinée :
A votre foi mon âme est toute abandonnée ;
Je veux voir, jusqu'au bout, quel sera votre cœur,
1420 Et si de me trahir il aura la noirceur.

CÉLIMÈNE

Non, vous ne m'aimez point comme il faut que l'on
[aime.

ALCESTE

Ah ! rien n'est comparable à mon amour extrême ;
Et dans l'ardeur qu'il a de se montrer à tous,
Il va jusqu'à former des souhaits contre vous.
Oui, je voudrais qu'aucun ne vous trouvât aimable,
Que vous fussiez réduite en un sort misérable,
Que le Ciel, en naissant, ne vous eût donné rien,
Que vous n'eussiez ni rang, ni naissance, ni bien,
Afin que de mon cœur l'éclatant sacrifice
1430 Vous pût d'un pareil sort réparer l'injustice,
Et que j'eusse la joie et la gloire, en ce jour,
De vous voir tenir tout des mains de mon amour.

CÉLIMÈNE

C'est me vouloir du bien d'une étrange manière !
Me préserve le Ciel que vous ayez matière !...
Voici monsieur[3] Du Bois, plaisamment figuré[4].

## *Scène 4*

DU BOIS, CÉLIMÈNE, ALCESTE

ALCESTE

Que veut cet équipage, et cet air effaré ?
Qu'as-tu ?

DU BOIS

Monsieur...

ALCESTE

Hé bien ?

DU BOIS

Voici bien des mystères.

ALCESTE

Qu'est-ce ?

DU BOIS

Nous sommes mal, Monsieur, dans nos affaires.

ALCESTE

Quoi ?

DU BOIS

Parlerai-je haut ?

ALCESTE

Oui, parle, et promptement.

DU BOIS

1440 N'est-il point là quelqu'un ?...

ALCESTE

Ah ! que d'amusement !

Veux-tu parler ?

DU BOIS

Monsieur, il faut faire retraite.

ALCESTE

Comment ?

DU BOIS

Il faut d'ici déloger sans trompette.

ALCESTE

Et pourquoi ?

DU BOIS

Je vous dis qu'il faut quitter ce lieu.

ALCESTE

La cause ?

DU BOIS

Il faut partir, Monsieur, sans dire adieu.

ALCESTE

Mais par quelle raison me tiens-tu ce langage ?

DU BOIS

Par la raison, Monsieur, qu'il faut plier bagage.

ALCESTE

Ah ! je te casserai la tête assurément,
Si tu ne veux, maraud, t'expliquer autrement.

DU BOIS

Monsieur, un homme noir et d'habit et de mine
1450 Est venu nous laisser, jusque dans la cuisine,
Un papier griffonné d'une telle façon,
Qu'il faudrait, pour le lire, être pis que démon.
C'est de votre procès, je n'en fais aucun doute ;
Mais le diable d'enfer, je crois, n'y verrait goutte.

ALCESTE

Hé bien ? quoi ? ce papier, qu'a-t-il à démêler,
Traître, avec le départ dont tu viens me parler ?

DU BOIS

C'est pour vous dire ici, Monsieur, qu'une heure
[ensuite,
Un homme qui souvent vous vient rendre visite
Est venu vous chercher avec empressement,
1460 Et, ne vous trouvant pas, m'a chargé doucement,
Sachant que je vous sers avec beaucoup de zèle,
De vous dire... Attendez, comme est-ce qu'il s'appelle ?

ALCESTE

Laisse là son nom, traître, et dis ce qu'il t'a dit.

DU BOIS

C'est un de vos amis enfin, cela suffit.
Il m'a dit que d'ici votre péril vous chasse,
Et que d'être arrêté le sort vous y menace.

ALCESTE

Mais quoi ? n'a-t-il voulu te rien spécifier ?

DU BOIS

Non : il m'a demandé de l'encre et du papier,
Et vous a fait un mot, où vous pourrez, je pense,
1470 Du fond de ce mystère avoir la connaissance.

ALCESTE

Donne-le donc.

CÉLIMÈNE

Que peut envelopper ceci ?

ALCESTE

Je ne sais, mais j'aspire à m'en voir éclairci.
Auras-tu bientôt fait, impertinent au diable[1] ?

DU BOIS, *après l'avoir longtemps cherché.*

Ma foi ! je l'ai, Monsieur, laissé sur votre table.

ALCESTE

Je ne sais qui me tient !...

CÉLIMÈNE

Ne vous emportez pas,
Et courez démêler un pareil embarras.

ALCESTE

Il semble que le sort, quelque soin que je prenne,
Ait juré d'empêcher que je vous entretienne ;
Mais pour en triompher, souffrez à mon amour
1480 De vous revoir, Madame, avant la fin du jour.

# Acte V

## *Scène 1*

ALCESTE, PHILINTE

ALCESTE

La résolution en est prise, vous dis-je.

PHILINTE

Mais quel que soit ce coup, faut-il qu'il vous oblige ?...

ALCESTE

Non : vous avez beau faire et beau me raisonner,
Rien de ce que je dis ne me peut détourner :
Trop de perversité règne au siècle où nous sommes,
Et je veux me tirer du commerce des hommes.
Quoi ? contre ma partie[1] on voit tout à la fois
L'honneur, la probité, la pudeur et les lois ;
On publie en tous lieux l'équité de ma cause ;
1490 Sur la foi de mon droit mon âme se repose :
Cependant je me vois trompé par le succès[2] ;
J'ai pour moi la justice et je perds mon procès !
Un traître, dont on sait la scandaleuse histoire,
Est sorti triomphant d'une fausseté noire !
Toute la bonne foi cède à sa trahison !
Il trouve, en m'égorgeant, moyen d'avoir raison !
Le poids de sa grimace, où brille l'artifice,
Renverse le bon droit et tourne la justice !
Il fait par un arrêt couronner son forfait !

1500 Et non content encor du tort que l'on me fait,
Il court parmi le monde un livre abominable,
Et de qui la lecture est même condamnable,
Un livre à mériter la dernière rigueur,
Dont le fourbe a le front de me faire l'auteur !
Et là-dessus, on voit Oronte qui murmure,
Et tâche méchamment d'appuyer l'imposture !
Lui, qui d'un honnête homme à la Cour tient le rang,
A qui je n'ai rien fait qu'être sincère et franc,
Qui me vient, malgré moi, d'une ardeur empressée,
1510 Sur des vers qu'il a faits demander ma pensée ;
Et parce que j'en use avec honnêteté,
Et ne le veux trahir, lui ni la vérité,
Il aide à m'accabler d'un crime imaginaire !
Le voilà devenu mon plus grand adversaire !
Et jamais de son cœur je n'aurai de pardon,
Pour n'avoir pas trouvé que son sonnet fût bon !
Et les hommes, morbleu ! sont faits de cette sorte !
C'est à ces actions que la gloire les porte !
Voilà la bonne foi, le zèle vertueux,
1520 La justice et l'honneur que l'on trouve chez eux !
Allons, c'est trop souffrir les chagrins qu'on nous
Tirons-nous de ce bois et de ce coupe-gorge. [forge :
Puisque entre humains ainsi vous vivez en vrais loups,
Traîtres, vous ne m'aurez de ma vie avec vous.

PHILINTE

Je trouve un peu bien prompt le dessein où vous êtes,
Et tout le mal n'est pas si grand que vous le faites :
Ce que votre partie ose vous imputer
N'a point eu le crédit de vous faire arrêter ;
On voit son faux rapport lui-même se détruire,
1530 Et c'est une action qui pourrait bien lui nuire.

ALCESTE

Lui ? De semblables tours il ne craint point l'éclat ;
Il a permission d'être franc scélérat ;

Et loin qu'à son crédit nuise cette aventure,
On l'en verra demain en meilleure posture.

PHILINTE
Enfin il est constant qu'on n'a point trop donné[1]
Au bruit que contre vous sa malice a tourné :
De ce côté déjà vous n'avez rien à craindre ;
Et pour votre procès, dont vous pouvez vous plaindre,
Il vous est en justice aisé d'y revenir,
1540 Et contre cet arrêt...

ALCESTE
Non, je veux m'y tenir.
Quelque sensible tort qu'un tel arrêt me fasse,
Je me garderai bien de vouloir qu'on le casse :
On y voit trop à plein le bon droit maltraité,
Et je veux qu'il demeure à la postérité
Comme une marque insigne, un fameux témoignage
De la méchanceté des hommes de notre âge.
Ce sont vingt mille francs qu'il m'en pourra coûter ;
Mais pour vingt mille francs j'aurai droit de pester
Contre l'iniquité de la nature humaine,
1550 Et de nourrir pour elle une immortelle haine.

PHILINTE
Mais enfin...

ALCESTE
Mais enfin, vos soins sont superflus :
Que pouvez-vous, Monsieur, me dire là-dessus ?
Aurez-vous bien le front de me vouloir en face
Excuser les horreurs de tout ce qui se passe ?

PHILINTE
Non : je tombe d'accord de tout ce qu'il vous plaît :
Tout marche par cabale et par pur intérêt ;
Ce n'est plus que la ruse aujourd'hui qui l'emporte,
Et les hommes devraient être faits d'autre sorte.

Mais est-ce une raison que leur peu d'équité
1560 Pour vouloir se tirer de leur société ?
Tous ces défauts humains nous donnent dans la vie
Des moyens d'exercer notre philosophie :
C'est le plus bel emploi que trouve la vertu ;
Et si de probité tout était revêtu,
Si tous les cœurs étaient francs, justes et dociles,
La plupart des vertus nous seraient inutiles,
Puisqu'on en met l'usage à pouvoir sans ennui
Supporter, dans nos droits, l'injustice d'autrui ;
Et de même qu'un cœur d'une vertu profonde...

ALCESTE

1570 Je sais que vous parlez, Monsieur, le mieux du monde ;
En beaux raisonnements vous abondez toujours ;
Mais vous perdez le temps et tous vos beaux discours.
La raison, pour mon bien, veut que je me retire :
Je n'ai point sur ma langue un assez grand empire ;
De ce que je dirais je ne répondrais pas,
Et je me jetterais cent choses sur les bras.
Laissez-moi, sans dispute[1], attendre Célimène :
Il faut qu'elle consente au dessein qui m'amène ;
Je vais voir si son cœur a de l'amour pour moi,
1580 Et c'est ce moment-ci qui doit m'en faire foi.

PHILINTE

Montons chez Éliante, attendant sa venue.

ALCESTE

Non : de trop de souci je me sens l'âme émue.
Allez-vous-en la voir, et me laissez enfin
Dans ce petit coin sombre avec mon noir chagrin.

PHILINTE

C'est une compagnie étrange pour attendre,
Et je vais obliger Éliante à descendre.

## *Scène 2*

ORONTE, CÉLIMÈNE, ALCESTE

ORONTE

Oui, c'est à vous de voir si par des nœuds si doux,
Madame, vous voulez m'attacher tout à vous.
Il me faut de votre âme une pleine assurance :
1590 Un amant là-dessus n'aime point qu'on balance.
Si l'ardeur de mes feux a pu vous émouvoir,
Vous ne devez point feindre[1] à me le faire voir ;
Et la preuve, après tout, que je vous en demande,
C'est de ne plus souffrir qu'Alceste vous prétende,
De le sacrifier, Madame, à mon amour,
Et de chez vous enfin le bannir dès ce jour.

CÉLIMÈNE

Mais quel sujet si grand contre lui vous irrite,
Vous à qui j'ai tant vu parler de son mérite ?

ORONTE

Madame, il ne faut point ces éclaircissements ;
1600 Il s'agit de savoir quels sont vos sentiments.
Choisissez, s'il vous plaît, de garder l'un ou l'autre :
Ma résolution n'attend rien que la vôtre.

ALCESTE, *sortant du coin où il s'était retiré.*

Oui, Monsieur a raison : Madame, il faut choisir,
Et sa demande ici s'accorde à mon désir.
Pareille ardeur me presse, et même soin m'amène ;
Mon amour veut du vôtre une marque certaine,
Les choses ne sont plus pour traîner en longueur,
Et voici le moment d'expliquer votre cœur.

ORONTE

Je ne veux point, Monsieur, d'une flamme importune

1610 Troubler aucunement votre bonne fortune.

ALCESTE
Je ne veux point, Monsieur, jaloux ou non jaloux,
Partager de son cœur rien du tout avec vous.

ORONTE
Si votre amour au mien lui semble préférable...

ALCESTE
Si du moindre penchant elle est pour vous capable...

ORONTE
Je jure de n'y rien prétendre désormais.

ALCESTE
Je jure hautement de ne la voir jamais.

ORONTE
Madame, c'est à vous de parler sans contrainte.

ALCESTE
Madame, vous pouvez vous expliquer sans crainte.

ORONTE
Vous n'avez qu'à nous dire où s'attachent vos vœux.

ALCESTE
1620 Vous n'avez qu'à trancher, et choisir de nous deux.

ORONTE
Quoi ? sur un pareil choix vous semblez être en peine !

ALCESTE
Quoi ? votre âme balance et paraît incertaine !

CÉLIMÈNE
Mon Dieu ! que cette instance[1] est là hors de saison,
Et que vous témoignez, tous deux, peu de raison !
Je sais prendre parti sur cette préférence,
Et ce n'est pas mon cœur maintenant qui balance :
Il n'est point suspendu, sans doute[2], entre vous deux,
Et rien n'est si tôt fait que le choix de nos vœux.

Mais je souffre, à vrai dire, une gêne[1] trop forte
1630 A prononcer en face un aveu de la sorte :
Je trouve que ces mots qui sont désobligeants
Ne se doivent point dire en présence des gens;
Qu'un cœur de son penchant donne assez de lumière,
Sans qu'on nous fasse aller jusqu'à rompre en visière[2];
Et qu'il suffit enfin que de plus doux témoins
Instruisent un amant du malheur de ses soins.

ORONTE

Non, non, un franc aveu n'a rien que j'appréhende,
J'y consens pour ma part.

ALCESTE

Et moi, je le demande :
C'est son éclat surtout qu'ici j'ose exiger,
1640 Et je ne prétends point vous voir rien ménager.
Conserver tout le monde est votre grande étude!
Mais plus d'amusement et plus d'incertitude :
Il faut vous expliquer nettement là-dessus,
Ou bien pour un arrêt je prends votre refus.
Je saurai, de ma part, expliquer ce silence,
Et me tiendrai pour dit tout le mal que j'en pense.

ORONTE

Je vous sais fort bon gré, Monsieur, de ce courroux,
Et je lui dis ici même chose que vous.

CÉLIMÈNE

Que vous me fatiguez avec un tel caprice!
1650 Ce que vous demandez a-t-il de la justice?
Et ne vous dis-je pas quel motif me retient?
J'en vais prendre pour juge Éliante qui vient.

## *Scène 3*

ÉLIANTE, PHILINTE, CÉLIMÈNE,
ORONTE, ALCESTE

CÉLIMÈNE

Je me vois, ma cousine, ici persécutée
Par des gens dont l'humeur y paraît concertée.
Ils veulent l'un et l'autre, avec même chaleur,
Que je prononce entre eux le choix que fait mon cœur,
Et que, par un arrêt qu'en face il me faut rendre,
Je défende à l'un d'eux tous les soins qu'il peut
Dites-moi si jamais cela se fait ainsi. [prendre.

ÉLIANTE

1660 N'allez point là-dessus me consulter ici :
Peut-être y pourriez-vous être mal adressée,
Et je suis pour les gens qui disent leur pensée.

ORONTE

Madame, c'est en vain que vous vous défendez.

ALCESTE

Tous vos détours ici seront mal secondés.

ORONTE

Il faut, il faut parler, et lâcher la balance[1].

ALCESTE

Il ne faut que poursuivre à garder le silence[2].

ORONTE

Je ne veux qu'un seul mot pour finir nos débats.

ALCESTE

Et moi, je vous entends si vous ne parlez pas.

## *Scène 4*

ACASTE, CLITANDRE, ARSINOÉ, PHILINTE,
ÉLIANTE, ORONTE, CÉLIMÈNE, ALCESTE

ACASTE, *à Célimène.*
Madame, nous venons tous deux, sans vous déplaire,
1670 Éclaircir avec vous une petite affaire.

CLITANDRE, *à Oronte et à Alceste.*
Fort à propos, Messieurs, vous vous trouvez ici,
Et vous êtes mêlés dans cette affaire aussi.

ARSINOÉ, *à Célimène.*
Madame, vous serez surprise de ma vue ;
Mais ce sont ces messieurs qui causent ma venue :
Tous deux ils m'ont trouvée et se sont plaints à moi
D'un trait à qui[1] mon cœur ne saurait prêter foi.
J'ai du fond de votre âme une trop haute estime
Pour vous croire jamais capable d'un tel crime :
Mes yeux ont démenti leurs témoins[2] les plus forts ;
1680 Et l'amitié passant sur de petits discords,
J'ai bien voulu chez vous leur faire compagnie,
Pour vous voir vous laver de cette calomnie.

ACASTE, *à Célimène.*
Oui, Madame, voyons, d'un esprit adouci,
Comment vous vous prendrez à soutenir ceci :
Cette lettre par vous est écrite à Clitandre ?

CLITANDRE
Vous avez pour Acaste écrit ce billet tendre ?

ACASTE, *à Oronte et à Alceste.*
Messieurs, ces traits[3] pour vous n'ont point d'obscurité,
Et je ne doute pas que sa civilité

A connaître sa main n'ait trop su vous instruire ;
1690 Mais ceci vaut assez la peine de le lire.

*Vous êtes un étrange homme de condamner mon enjouement, et de me reprocher que je n'ai jamais tant de joie que lorsque je ne suis pas avec vous. Il n'y a rien de plus injuste ; et si vous ne venez bien vite me demander pardon de cette offense, je ne vous la pardonnerai de ma vie. Notre grand flandrin*[1] *de Vicomte...*

Il devrait être ici.

*Notre grand flandrin de Vicomte, par qui vous commencez vos plaintes, est un homme qui ne saurait me revenir ; et depuis que je l'ai vu, trois quarts d'heure durant, cracher dans un puits pour faire des ronds, je n'ai pu jamais prendre bonne opinion de lui. Pour le petit Marquis...*

C'est moi-même, Messieurs, sans nulle vanité.

*Pour le petit Marquis, qui me tint hier longtemps la main*[2]*, je trouve qu'il n'y a rien de si mince que toute sa personne ; et ce sont de ces mérites qui n'ont que la cape et l'épée*[3]*. Pour l'homme aux rubans verts*[4]*...*

*A Alceste.*

A vous le dé, Monsieur.

*Pour l'homme aux rubans verts, il me divertit quelquefois avec ses brusqueries et son chagrin bourru ; mais il est cent moments où je le trouve le plus fâcheux du monde. Et pour l'homme à la veste...*

*A Oronte.*

Voici votre paquet.

*Et pour l'homme à la veste, qui s'est jeté dans le bel esprit et veut être auteur malgré tout le monde, je ne puis me donner la peine d'écouter ce qu'il dit ; et sa prose me fatigue autant que ses vers. Mettez-vous donc en tête que je ne me divertis pas toujours si bien que vous pensez ;*

*que je vous trouve à dire[1] plus que je ne voudrais, dans toutes les parties où l'on m'entraîne ; et que c'est un merveilleux assaisonnement aux plaisirs qu'on goûte que la présence des gens qu'on aime.*

CLITANDRE

Me voici maintenant, moi.

*Votre Clitandre dont vous me parlez, et qui fait tant le doucereux, est le dernier des hommes pour qui j'aurais de l'amitié. Il est extravagant de se persuader qu'on l'aime ; et vous l'êtes de croire qu'on ne vous aime pas. Changez, pour être raisonnable, vos sentiments contre les siens ; et voyez-moi le plus que vous pourrez, pour m'aider à porter le chagrin d'en être obsédée.*

D'un fort beau caractère on voit là le modèle,
Madame, et vous savez comment cela s'appelle ?
Il suffit : nous allons l'un et l'autre en tous lieux
Montrer de votre cœur le portrait glorieux.

ACASTE

J'aurais de quoi vous dire, et belle est la matière ;
Mais je ne vous tiens pas digne de ma colère ;
Et je vous ferai voir que les petits marquis
Ont, pour se consoler, des cœurs du plus haut prix.

*Ils sortent.*

ORONTE

Quoi ? de cette façon je vois qu'on me déchire,
1700 Après tout ce qu'à moi je vous ai vu m'écrire !
Et votre cœur, paré de beaux semblants d'amour,
A tout le genre humain se promet tour à tour !
Allez, j'étais trop dupe, et je vais ne plus l'être.
Vous me faites un bien, me faisant vous connaître :
J'y profite d'un cœur[2] qu'ainsi vous me rendez,
Et trouve ma vengeance en ce que vous perdez.

*A Alceste.*

Monsieur, je ne fais plus d'obstacle à votre flamme,

Et vous pouvez conclure affaire avec Madame.

*Il sort.*

ARSINOÉ

Certes, voilà le trait du monde le plus noir;
1710 Je ne m'en saurais taire et me sens émouvoir.
Voit-on des procédés qui soient pareils aux vôtres?
Je ne prends point de part aux intérêts des autres[1];

*Montrant Alceste.*

Mais Monsieur, que chez vous fixait votre bonheur,
Un homme comme lui, de mérite et d'honneur,
Et qui vous chérissait avec idolâtrie,
Devait-il... ?

ALCESTE

Laissez-moi, Madame, je vous prie,
Vuider mes intérêts moi-même là-dessus,
Et ne vous chargez point de ces soins superflus.
Mon cœur a beau vous voir prendre ici sa querelle[2],
1720 Il n'est point en état de payer ce grand zèle;
Et ce n'est pas à vous que je pourrai songer
Si par un autre choix je cherche à me venger.

ARSINOÉ

Hé! croyez-vous, Monsieur, qu'on ait cette pensée,
Et que de vous avoir on soit tant empressée?
Je vous trouve un esprit bien plein de vanité,
Si de cette créance il peut s'être flatté.
Le rebut de Madame est une marchandise
Dont on aurait grand tort d'être si fort éprise.
Détrompez-vous, de grâce, et portez-le moins haut[3] :
1730 Ce ne sont pas des gens comme moi qu'il vous faut;
Vous ferez bien encor de soupirer pour elle,
Et je brûle de voir une union si belle.

*Elle se retire.*

ALCESTE

Hé bien ! je me suis tu, malgré ce que je voi[1],
Et j'ai laissé parler tout le monde avant moi :
Ai-je pris sur moi-même un assez long empire,
Et puis-je maintenant... ?

CÉLIMÈNE

Oui, vous pouvez tout dire :
Vous en êtes en droit, lorsque vous vous plaindrez,
Et de me reprocher tout ce que vous voudrez.
J'ai tort, je le confesse, et mon âme confuse
1740 Ne cherche à vous payer d'aucune vaine excuse.
J'ai des autres ici méprisé le courroux,
Mais je tombe d'accord de mon crime envers vous.
Votre ressentiment, sans doute[2], est raisonnable :
Je sais combien je dois vous paraître coupable,
Que toute chose dit que j'ai pu vous trahir,
Et qu'enfin vous avez sujet de me haïr.
Faites-le, j'y consens.

ALCESTE

Hé ! le puis-je, traîtresse ?
Puis-je ainsi triompher de toute ma tendresse ?
Et quoique avec ardeur je veuille vous haïr,
1750 Trouvé-je un cœur en moi tout prêt à m'obéir ?

*A Éliante et Philinte.*

Vous voyez ce que peut une indigne tendresse,
Et je vous fais tous deux témoins de ma faiblesse.
Mais, à vous dire vrai, ce n'est pas encor tout,
Et vous allez me voir la pousser jusqu'au bout,
Montrer que c'est à tort que sages on nous nomme,
Et que dans tous les cœurs il est toujours de l'homme[3].

*A Célimène.*

Oui, je veux bien, perfide, oublier vos forfaits ;
J'en saurai, dans mon âme, excuser tous les traits,
Et me les couvrirai du nom d'une faiblesse

1760 Où le vice du temps porte votre jeunesse,
Pourvu que votre cœur veuille donner les mains
Au dessein que j'ai fait de fuir tous les humains,
Et que dans mon désert[1], où j'ai fait vœu de vivre,
Vous soyez, sans tarder, résolue à me suivre :
C'est par là seulement que, dans tous les esprits,
Vous pouvez réparer le mal de vos écrits,
Et qu'après cet éclat, qu'un noble cœur abhorre,
Il peut m'être permis de vous aimer encore.

CÉLIMÈNE

Moi, renoncer au monde avant que de vieillir,
1770 Et dans votre désert aller m'ensevelir !

ALCESTE

Et s'il faut qu'à mes feux votre flamme réponde,
Que vous doit importer tout le reste du monde ?
Vos désirs avec moi ne sont-ils pas contents[2] ?

CÉLIMÈNE

La solitude effraye une âme de vingt ans :
Je ne sens point la mienne assez grande, assez forte,
Pour me résoudre à prendre un dessein de la sorte.
Si le don de ma main peut contenter vos vœux,
Je pourrai me résoudre à serrer de tels nœuds ;
Et l'hymen...

ALCESTE

Non : mon cœur à présent vous déteste,
1780 Et ce refus lui seul fait plus que tout le reste.
Puisque vous n'êtes point, en des liens si doux,
Pour trouver[3] tout en moi, comme moi tout en vous,
Allez, je vous refuse, et ce sensible outrage
De vos indignes fers pour jamais me dégage.

*Célimène se retire, et Alceste parle à Éliante.*

Madame, cent vertus ornent votre beauté,
Et je n'ai vu qu'en vous de la sincérité ;
De vous, depuis longtemps, je fais un cas extrême ;

*Jacques Mauclair et Agnès Garreau.*
*Mise en scène de J. Mauclair (Th. du Marais, 1982).*

Mais laissez-moi toujours vous estimer de même ;
Et souffrez que mon cœur, dans ses troubles divers,
1790 Ne se présente point à l'honneur de vos fers :
Je m'en sens trop indigne, et commence à connaître
Que le Ciel pour ce nœud ne m'avait point fait naître ;
Que ce serait pour vous un hommage trop bas
Que le rebut d'un cœur qui ne vous valait pas ;
Et qu'enfin...

ÉLIANTE

Vous pouvez suivre cette pensée :
Ma main de se donner n'est pas embarrassée ;
Et voilà votre ami, sans trop m'inquiéter[1],
Qui, si je l'en priais, la pourrait accepter.

PHILINTE

Ah ! cet honneur, Madame, est toute mon envie,
1800 Et j'y sacrifierais et mon sang et ma vie.

ALCESTE

Puissiez-vous, pour goûter de vrais contentements,
L'un pour l'autre à jamais garder ces sentiments !
Trahi de toutes parts, accablé d'injustices,
Je vais sortir d'un gouffre où triomphent les vices,
Et chercher sur la terre un endroit écarté
Où d'être homme d'honneur on ait la liberté.

PHILINTE

Allons, Madame, allons employer toute chose,
Pour rompre le dessein que son cœur se propose.

# Commentaires
# Notes

par

*Michel Autrand*

# Commentaires

## *Originalité de l'œuvre*

A cause notamment des péripéties de l'affaire du *Tartuffe* qui s'étirent sur cinq ans, de 1664 à 1669, on situe souvent mal *Le Misanthrope,* on évalue mal son importance dans la carrière de Molière. En chantier depuis de longs mois, comme l'attestent des lectures publiques de fragments, la pièce est livrée en fait par son auteur au public après *Le Tartuffe* (1664) et après *Dom Juan* (1665). Elle est le plus grand effort de la vie d'écrivain de Molière et le couronnement de son aventure littéraire. Lui-même n'en a jamais parlé autrement, comme Grimarest nous l'a rapporté : « Je n'ai [...] pu faire mieux et sûrement je ne ferai pas mieux. » Non que Molière ensuite ait « dégénéré » pour reprendre à Voltaire le mot célèbre du *Siècle de Louis XIV,* mais il est une hauteur, une ambition sans cesse croissantes depuis *L'École des femmes,* et surtout à travers *Le Tartuffe* et *Dom Juan,* qu'il ne retrouvera plus après l'accomplissement du *Misanthrope.* Il écrira encore de très grandes pièces : on n'aura plus à les solliciter autant pour approcher sa philosophie personnelle, sa vision de l'homme et de la société. Le grand combat, pour Molière, est terminé ; *Le Misanthrope* est la dernière grande bataille livrée. De manière un peu étroite mais dans un sentiment fort juste, Michelet l'a écrit : « Après *Le Misanthrope,* c'est toujours un très grand artiste ou un puissant bouffon. Mais ce n'est plus notre Molière, j'allais dire le Molière de la Révolution, l'exécuteur des hypocrites » (*Histoire de France,* tome XV). Le simple demi-succès remporté par les premières représentations et la bouderie du parterre ne doivent pas nous impressionner. Les gens informés ne s'y sont pas trompés. Même s'ils introduisent des réserves, ils saluent la pièce comme un chef-d'œuvre. Ainsi, huit jours après la première, Loret, dans *La Gazette,* se permet tout juste d'ironiser légèrement sur l'aspect moralisateur du texte :

> *Le Misanthrope* enfin se joue.
> Je le vis dimanche et j'avoue
> Que Molière son auteur
> N'a rien fait de cette hauteur.
> Les expressions en sont belles,
> Et vigoureuses et nouvelles.
> Le plaisant et le sérieux
> Y sont assaisonnés au mieux.
> Et ce misanthrope est si sage,
> En frondant les mœurs de notre âge,
> Que l'on dirait, benoît lecteur,
> Qu'on entend un prédicateur.

Subligny, de son côté, dans sa chronique rimée de *La Muse dauphine,* se fait écho, même s'il ne la partage pas tout à fait, de l'opinion plus que favorable de la Cour :

> Une chose de fort grand cours
> Et de beauté très singulière
> Est une pièce de Molière :
> Toute la Cour en dit du bien,
> Après son *Misanthrope,* il ne faut plus voir rien.
> C'est un chef-d'œuvre inimitable.

Molière a donc frappé un grand coup et il a réussi. Mais il a dû se transformer, et d'abord physiquement. Pour jouer les Arnolphe, les Orgon et les divers Sganarelle, il portait barbe et moustaches. Il les coupe pour Alceste, il ne garde du bouffon que la couleur verte des rubans d'un habit devenu maintenant habit de grand seigneur. Le symbole à l'époque a frappé : Molière apparaissait enfin en gloire.

Lui-même nous invite à nous retourner un instant sur son passé. Quel chemin parcouru depuis *La Jalousie du Barbouillé,* depuis *Le Dépit amoureux, Sganarelle* ou

*L'École des femmes* ! Ce canevas si rebattu du jaloux déconfit, il l'a depuis toujours sans cesse enrichi et repris avec succès, à l'exception de *Dom Garcie de Navarre* qui a été un échec. Il s'agit de faire mieux encore et de revenir sur cet unique échec. C'est ce que signifie, outre l'aspect toujours comique d'une allusion à soi-même, la comparaison suggérée par Philinte (v. 99-101) entre les héros du *Misanthrope* et ceux de *L'École des maris.* Par la mention de cette dernière pièce, c'est toute son œuvre antérieure que Molière furtivement désigne. Il tient à rappeler d'où il vient au moment où il se sait arrivé.

De fait, quelques clefs que l'on ait pu trouver à la pièce, elle n'est évidemment pas née de circonstances fortuites. Elle s'explique par toute une expérience globale de la scène et de la vie. Dès 1663, dans *L'Impromptu de Versailles,* Molière fait annoncer à Brécourt la comédie des courtisans dans laquelle, peut-être, il songe déjà à redessiner sa comédie du jaloux : « Crois-tu qu'il [Molière] ait épuisé dans ses comédies tout le ridicule des hommes ? Et, sans sortir de la Cour, n'a-t-il pas encore vingt caractères de gens où il n'a point touché ? N'a-t-il pas, par exemple, ceux qui se font les plus grandes amitiés du monde, et qui, le dos tourné, font galanterie de se déchirer l'un l'autre ? N'a-t-il pas ces adulateurs à outrance, ces flatteurs insipides, qui n'assaisonnent d'aucun sel les louanges qu'ils donnent, et dont toutes les flatteries ont une douceur fade qui fait mal au cœur à ceux qui les écoutent ? N'a-t-il pas ceux qui caressent également tout le monde, qui promènent leurs civilités à droite et à gauche, et courent à tous ceux qu'ils voient avec les mêmes embrassades et les mêmes protestations d'amitié ? »

Le trait de génie de Molière, dans cette pièce, a été d'unir étroitement deux sujets comiques sans lien apparent : le rire contre le jaloux et le rire contre l'hypocrisie mondaine. Argan voulant marier sa fille à un médecin est beaucoup plus dans la logique de son personnage qu'Alceste amoureux d'une coquette. Mais si l'amour lui-même garde son irrationnel, la justification qu'il cherche à se donner peut devenir en soi une explication suffisante de son exigence de vérité dans les relations avec autrui. Le choix au départ est peut-être arbitraire, le résultat est d'une efficacité remarquable.

Ce monde de la Cour, pour Molière comme pour ses contemporains, reste cependant un monde idéal. Lui seul a la noblesse de l'univers de la tragédie où Molière a vainement essayé de se faire un nom. Ses contemporains ne l'ont pas aimé en tragédien qui essayait de faire descendre les héros de leur piédestal par un jeu plus réaliste et naturel. Il avait essayé en somme de jouer la tragédie un degré au-dessous : il a échoué. On a refusé son *Dom Garcie* qui, bien qu'appelé « comédie », avait toutes les ambitions au moins de la tragi-comédie. Faute de « sous-tragédie », c'est une « sur-comédie » qu'il compose avec *Le Misanthrope.* Il rapproche ses personnages de l'actualité dans le temps et l'espace mais leur conserve toute la dignité qu'ils tirent de leur origine. Le monde de *Dom Garcie* n'est pas détruit mais transposé. Il ne s'agit pas en effet, comme on l'a trop souvent répété, de quelques emprunts çà et là faits par Molière à une pièce antérieure négligeable, mais bien d'une refonte générale d'un sujet cher à son cœur. C'est tout le schéma, toute l'idée de *Dom Garcie* qu'il reprend cette fois de façon décisive et définitive. La structure, le mouvement n'ont pas bougé mais l'actualisation modifie la couleur des personnages principaux. Le caractère héroïque et guerrier de Dom Garcie s'intériorise et, dans cette aristocratie du XVII^e^ siècle français, se mue en philosophie intraitable ; dans les deux cas, accès de jalousie et colères maladives scandent la même progression. La plus grande transformation tient en définitive au personnage d'Elvire. La femme aimée dans *Dom Garcie* est toute bonté, générosité devant les violences de son irascible amant : elle fait tout pour le guérir. Mais quand, devenu Alceste, il sait mieux par moments émouvoir, Célimène devient sinon dure, du moins réservée, énigmatique. Comme si l'homme avait assumé une part des bontés perdues par la femme. Pourquoi cet assombrissement du personnage féminin, cette interrogation sur lui ? Sans doute pour donner plus de relief encore aux colères et aux capitulations d'Alceste, mais peut-être aussi pour des raisons d'ordre personnel. Ce qui fut le plus grand effort littéraire de Molière s'est exercé sur un problème intime, étroitement lié à un problème professionnel qui s'élargit lui-même tout naturellement en un problème de philosophie et de morale universelles.

Que la vie personnelle de Molière affleure dans *Le Misanthrope* ne tient pas aux clefs que l'on a vite données pour certains personnages. Il importe peu qu'on ait reconnu le duc de Richelieu dans Clitandre, presque sûrement le comte de Guiche dans Acaste, et dans Philinte conjointement Chapelle, Boileau et le duc de Montausier. Il est beaucoup plus parlant de réfléchir à la distribution féminine de la pièce, distribution si louée dès la création par le gazetier Robinet :

> Au reste, chacun des acteurs,
> Charme et ravit les spectateurs,
> Et l'on y peut voir les trois Grâces
> Menant leurs amours sur leurs traces,
> Sur le frais visage et les attraits
> De trois objets jeunes et frais,
> Molière, Duparc et Debrie ;
> Allez voir si c'est menterie.

« Molière, Duparc et Debrie », c'est-à-dire l'épouse de Molière, marquise Du Parc et Catherine de Brie. La jeune Armande en effet, qui depuis deux ans maintenant semble donner des soucis à son mari et n'être plus pour Molière une compagne irréprochable, est chargée du rôle de Célimène. Éliante est jouée par la mignonne Catherine de Brie qui a été la maîtresse de Molière et qui est toujours prête à le recueillir si sa femme le boude. Le rôle d'Arsinoé, enfin, appartient à la Du Parc dont on n'a jamais tiré tout à fait au clair les coquetteries et minauderies auprès de son directeur de troupe jusqu'à l'année suivante où elle le lâchera avec éclat pour Racine, Andromaque et l'Hôtel de Bourgogne. Un homme donc, auteur, metteur en scène, acteur, qui a écrit pour trois femmes, trois actrices, qu'il a aimées, aime ou aimera, et dont professionnellement il partage la vie, une transposition de leurs passions mutuelles et réciproques assez fidèle pour que personne ne pût s'y tromper : voilà une originalité qui n'appartient qu'au *Misanthrope* ! Cette mise en spectacle, allusive, drôle et distinguée, présentée par Molière de sa propre intimité, avait — n'en doutons pas — pour le public de l'époque tout le piquant d'un psychodrame jouant sur les rapports du théâtre et de la vie. Un Sacha Guitry, au début de notre siècle, utilisera encore à fond ce charme ambigu de la comédie. Mais le travail de création dans ce cas doit s'exercer à la fois dans deux directions en apparence contradictoires. Il doit pousser la ressemblance avec la situation personnelle vécue ou supposée, et en même temps par le jeu des conventions, de l'écriture, de la force morale, nous faire passer sur un plan supérieur, cette fois pleinement universel où s'évaporent lumineusement toutes ces agaceries intimes. Pour comprendre à quel point la transfiguration du *Misanthrope* est une des plus réussies de Molière, il est donc indispensable de voir ce que la pièce doit, indépendamment des démêlés de Molière avec les femmes de sa troupe, à la personnalité de son auteur.

D'abord, depuis quelques mois, Molière ne peut plus douter de la gravité de son mal. Le héros qu'il met en scène pour la première fois est annoncé comme un malade : un atrabilaire. Il souffre d'un déséquilibre dans ses humeurs : c'est le malade véritable avant le malade imaginaire. Molière se joue dans sa propre disgrâce physique. Ses colères à l'époque prenaient un tour de plus en plus violent. Loiseleur déclare qu'à partir de 1664 « il s'emportait pour une vétille, lui, l'homme bon, l'homme aimant et pitoyable ; il était pris de soudaines et rageuses impatiences ; un rien l'exaspérait » (cité par René Jasinski, *Molière et « Le Misanthrope »,* p. 113). Les colères excessives d'Alceste sont évidemment nourries à cette source. Molière, auteur comique, avait certes toujours affectionné les numéros de colère explosive, et les avait même multipliés dans *Le Tartuffe* en mettant en scène trois types et trois générations de colériques dans la seule famille d'Orgon (Mme Pernelle, Orgon, Damis), mais jamais les éclats n'y avaient eu d'aussi petits objets que dans l'acte premier du *Misanthrope :* petitesse qui fait ressortir l'énormité et l'anormalité de la crise de colère.

Mais, ce qui est plus important encore, c'est l'aspect professionnel du comportement dont Molière dote Alceste. Sa jalousie, son impérialisme, ses colères, son intransigeance, son exigence de vérité et de transparence touchent l'acteur en Molière, mais plus encore le directeur de troupe et le metteur en scène. Son désir en dirigeant ces jeunes comédiennes est de les façonner à sa guise (comme Arnolphe veut le faire d'Agnès), de leur apprendre à bien jouer c'est-à-dire à mentir si bien que soit créée une parfaite illusion de vérité. A partir du moment où un sentiment amoureux se mêle à ce souci professionnel, à quels tourments sa réussite même ne condamne-t-elle pas le Maître ? Si la jeune actrice réussit trop bien dans un rôle, n'est-ce pas que le rôle recouvre ou dévoile ou annonce précisément la vérité que Molière a voulu le plus repousser, conjurer, exorciser ? La libération par le jeu théâtral ne risque-t-elle pas, tôt ou tard, de devenir simple réalité ? Et inversement, dans la vie courante, comment regarder une femme aimée quand on en a fait une excellente actrice, habile à donner parfaitement le change ? Le problème de la vérité chez Molière a ainsi indissolublement un double aspect sentimental et professionnel.

Le côté satirique, et même politique, du *Misanthrope,* qui existe lui aussi, ne revêt en comparaison qu'une importance seconde. La charge contre ces mauvais comédiens au jeu outré que sont les marquis s'élargit aisément en critique du mensonge courtisan et l'on peut assez plausiblement de nos jours, encore que Molière se soit bien gardé de le faire, extrapoler la critique jusqu'à viser la clef de voûte du système, l'institution monarchique elle-même et le rôle du roi. Mais c'est tout de même une grande banalité que de montrer que toute société est mensonge. Dans sa généralité, la célèbre boutade de Taine l'a bien établi : « L'honnête homme à Paris ment dix fois par jour, l'honnête femme vingt fois par jour, l'homme du monde cent fois par jour. On n'a jamais pu compter combien de fois par jour ment une femme du monde » (*Vie et opinions de Frédéric-Thomas Graindorge,* Hachette, 1913, p. 51). Molière, heureusement, a su aller beaucoup plus loin. Les mensonges du cadre social ne font que refléter le drame de la vérité qui se joue entre quelques êtres, particulièrement entre un homme et une femme, et qui porte en pleine lumière le problème philosophique de l'Homme et de la vérité impossible.

Il est sans doute faux de trop opposer Alceste à Tartuffe, l'un cherchant, l'autre cachant la vérité. Dans un article sur « Le Comique de Molière » paru dans *Le Mercure de France* du 15 janvier 1922, Gabriel Brunet établissait leur parenté structurelle de mauvais comédiens : « Au fond, Alceste est construit comme Tartuffe, et Tartuffe est construit comme Cathos, Madelon, Mascarille et Jodelet des *Précieuses ridicules.* Dans tous les cas, il y a des personnages qui veulent assumer un rôle et qui ne sont qu'imparfaitement adaptés par leur caractère réel à remplir ce rôle. » C'est en somme toujours du mauvais comédien que Molière fait rire. Le parfait honnête homme, Philinte, n'est-il pas comédien lui-même ? Et ce que Molière dit à travers lui, n'est-ce pas que l'homme est condamné à la comédie, qu'elle lui est consubstantielle ? Seul animal à savoir qu'il doit mourir, l'homme est aussi le seul à pouvoir et à devoir tenir un rôle. Le masque aussi bien que le sentiment de la mort sert à le définir. C'est ce qui explique que le grand acteur fasse si souvent figure de surhomme. Condamné au masque pour chercher le vrai, à une dialectique sans fin du masque et de la vérité où la fixation sur la seule vérité équivaut finalement à un arrêt sur le masque. Tartuffe se laissait dévorer par son rôle : Alceste ne fait pas mieux. Simplement le second empêche de mal comprendre le premier qui lui aussi — et Jouvet l'avait bien compris — est caricature d'un homme en recherche. Mais, comme l'a montré Camus dans *La Chute,* un certain goût de la vérité fait aussi des ravages : « Le goût de la vérité à tout prix est une passion qui n'épargne rien et à quoi rien ne résiste. C'est un vice, un confort parfois, ou un égoïsme » (Gallimard, 1956, p. 97). L'on songe plus généralement à la pensée de Pascal : « Qui veut faire l'ange fait la bête. » En est-il autrement pour Alceste dont Pierre-Aimé Touchard a pu dénoncer la « tartuferie » : « Molière nous rappelle sans cesse qu'il est trop facile de choisir la vertu si l'âme n'est pas assez forte pour maintenir ce choix dans les engagements constants de la vie, et qu'il y a un aveuglement, sinon un mensonge, disons une tartuferie, à se déclarer trop vite du côté des purs et des raisonnables. En fait à ses yeux Philinte n'existe pas — et pas davantage Alceste — l'un et l'autre ne personnifiant qu'une vue partielle de la vérité. Ce qui est vrai, c'est la lutte en lui comme en nous de l'un contre l'autre : si nous tuons l'un des deux, l'âme s'en va vers de fausses victoires ou vers de fausses tranquillités » (*Le Monde* du 1er février 1963).

Alceste est donc ainsi le contraire et le semblable de Tartuffe, et Molière, en lui, dévoile avec honnêteté les pièges entre lesquels il évolue en tant qu'homme privé, certes, mais surtout en tant qu'homme de théâtre dont la passion est de former des comédiens. En Philinte, c'est le comédien achevé qui réalise le modèle du parfait honnête homme. Le plus grand effort créateur de Molière aboutit donc à redire, après beaucoup d'autres, que la vie est un théâtre, que le théâtre et la vie ne font qu'un. Son ultime message philosophique est un message d'acteur, de masque et de créateur de masques. Ce qui ne va pas en apparence sans un certain scepticisme, cynisme même : mais n'est-ce pas là en définitive la plus durable façon, au lieu de la voiler, d'indiquer au moins la direction de la vérité ? Il y a chez Molière une pudeur de la vérité impossible et pourtant inoubliable qui, derrière toutes les faciles satires occasionnelles, déconcerte encore parfois, et qui laissait par exemple embarrassé un homme comme Gide aux certitudes bien plus établies qu'il ne veut le laisser croire. « Souvent on ne sait trop de quoi ni de qui il se moque », écrivait Gide dans son *Voyage au Congo* (24 septembre 1925). C'est vrai, mais c'est que, si Molière se moque très souvent, il ne vit pas pour se moquer, mais pour s'interroger avec nous — et il ne le fait jamais mieux que dans *Le Misanthrope* — sur l'homme et ses masques, sur le confondant jeu de la vérité à quoi se résume la vie.

A cette profondeur, quand l'exercice dévorant d'un métier conduit à une philosophie de l'existence, le comique du *Misanthrope* en 1666 ne pouvait plus être celui des farces de début. Les scènes, les moments, les structures de farce subsistent mais prises dans un ensemble où le sérieux, le pathétique et même le tragique occupent le devant de la scène. Ce n'est pas encore le mélange du sublime et du bouffon mais jeu sur cette limite délicate où les échanges entre comique et sérieux sont quasi permanents, comme s'ils n'étaient que l'envers et l'endroit d'une même réalité. Ce que Sainte-Beuve écrivait d'Alceste est vrai de toute la pièce : « Alceste, c'est-à-dire ce qu'il y a de plus sérieux, de plus noble, de plus élevé dans le comique, le point où le ridicule confine au courage, à la vertu. Une ligne plus haut, et le comique cesse, et on a un personnage purement généreux, presque héroïque et tragique » (*Portraits littéraires,* IV, 1844). Le rire de moquerie, dès lors, s'estompe, et le sourire qui le remplace est d'une toute autre portée. C'est la suprême et tranquille victoire d'un homme qui, dans le spectacle qu'il en a composé, domine et accepte ce que sont les choses, les autres et ce qu'il est lui-même. A nommer ce nouveau rire, on a longtemps tâtonné : on a parlé d'« humour » au sens le plus élevé du terme ; Jules Renard emploie dans son *Journal* l'expression de « rire de l'intérieur des choses » ; mais ne vaut-il pas mieux reprendre en fin de compte les termes que Molière a dû approuver, de Donneau de Visé dans la *Lettre sur « Le Misanthrope »* ? Il parle d'un « plaisant » qui n'est « point trop ridicule », de pièces où le « rire est moins haut » et surtout lance la très belle expression de « rire dans l'âme ». Lesté de tout un poids personnel, professionnel, social et philosophique, le rire du *Misanthrope,* unique chez son auteur, est véritablement un « rire divin » : « Le comique de Molière est par-delà la pitié. Il réclame une certaine clarté olympienne du regard, une volonté de planer au-dessus des douleurs pour saisir l'humanité dans ses attitudes maladroites ou manquées et s'en faire ainsi un spectacle de gaieté. Il y a là une victoire de l'esprit humain sur la douleur d'exister [...]. Molière a transmué toute la substance de la vie en substance comique » (Gabriel Brunet, article cité). Aucune autre pièce de Molière ne conduit plus près du nœud intérieur et secret qui explique l'homme en rendant compte de son univers.

## *Thèmes et personnages*

### *Analyse de l'action*

L'action se déroule à Paris, dans la demeure de Célimène, plus précisément dans une salle de réception située au premier étage, l'étage noble. Tous les personnages principaux appartiennent à l'aristocratie, certains même comme les marquis font partie de la noblesse de cour. Décors et costumes s'en ressentent. L'inventaire dressé après la mort de Molière nous donne par exemple ces indications sur le costume d'Alceste : « Haut-de-chausses et juste-au-corps de brocart rayé or et soie gris, doublé de tabis [espèce de gros taffetas travaillé], garni de rubans verts ; la veste de brocart d'or ; les bas de soie et jarretières. »

Acte I. — Dès le lever du rideau, colère d'Alceste qui reproche à son ami Philinte trop de politesses envers un inconnu. Alceste enrage aussi d'un procès qu'il est en train de perdre. On apprend enfin qu'il aime une jeune veuve, Célimène, dont la particularité est d'apprécier beaucoup cet univers mondain qu'Alceste parle déjà de fuir (sc. 1).

La dispute est interrompue par l'arrivée d'Oronte, un autre soupirant de Célimène, faiseur de vers de surcroît, qui tient à lire un de ses sonnets amoureux à Alceste. Pressé de donner ensuite son avis, notre misanthrope fait preuve d'une brutale sévérité qui entraîne la fureur et le départ d'Oronte (sc. 2).

Philinte, resté seul avec Alceste, essaie en vain de le calmer (sc. 3).

Acte II. — Alceste se plaint à Célimène de ses trop nombreux soupirants. Il s'apprête à lui demander de choisir et de se déclarer (sc. 1) quand arrivent en visite deux nouveaux galants, les petits marquis, Acaste et Clitandre, accompagnés par Philinte et par une cousine de Célimène, Éliante. Furieux de cette invasion au beau milieu d'un entretien intime dont il attendait tant, Alceste est cependant contraint d'assister à la conversation : elle prend vite, du fait surtout de Célimène, un tour très médisant qu'Alceste est incapable de supporter. Il s'emporte violemment contre les marquis, responsables selon lui des travers de la jeune femme (sc. 5). Une fois de plus une arrivée impromptue met fin à l'affrontement. Instruit d'un risque de duel entre Oronte et Alceste, le tribunal des maréchaux a envoyé un garde quérir ce dernier. A contrecœur, Alceste doit donc quitter la place, sous les rires de ses rivaux et au grand soulagement de Célimène (sc. 7).

Acte III. — Plaisant duo de vanité et de fatuité entre les deux marquis (sc. 1). Ils sortent à l'arrivée d'une amie de Célimène, Arsinoé, qui, sous des dehors prudes, ne pardonne pas à la jeune veuve de retenir le cœur d'Alceste pour lequel elle éprouve elle-même de l'inclination. D'où un savoureux échange de rosseries raffinées entre les deux femmes (sc. 4). Mais quand Arsinoé se retrouve seule avec Alceste, elle s'engage à lui donner une preuve sûre de la trahison de Célimène (sc. 5).

Acte IV. — Philinte entretient Éliante : l'affaire du tribunal des maréchaux est apaisée mais Alceste serait mieux avisé d'aimer Éliante que sa coquette de cousine (sc. 1) !

Irruption d'Alceste désespéré. Il tient à la main la lettre donnée par Arsinoé : c'est une lettre d'amour de

*Michel Aumont et Simon Eine.*
*Mise en scène de Jean-Pierre Vincent*
*(Comédie-Française, 1984).*

Célimène à l'un de ses soupirants. La colère et le dépit poussent alors Alceste à déclarer son amour à Éliante qui modère gentiment notre héros, et sort en compagnie de Philinte à l'entrée de Célimène (sc. 2).

Commence la grande confrontation de la pièce. Contre toute attente, elle tourne peu à peu à l'avantage de Célimène. La déroute d'Alceste est, pour finir, totale : il implore son pardon et renouvelle à la jeune femme l'aveu de son amour (sc. 3).

Célimène est dispensée de répondre par l'arrivée haletante du laquais d'Alceste, qui oblige ridiculement notre toujours malchanceux amant à partir précipitamment pour une affaire grave liée cette fois à son procès (sc. 4).

Acte V. — La perte de son procès redouble la misanthropie d'Alceste. Malgré les amicaux apaisements de Philinte, il reparle d'abandonner définitivement le monde (sc. 1).

Pour sortir de doute et amener Célimène à se déclarer, il fait même plaisamment alliance avec Oronte (sc. 2). Éliante se joint à eux (sc. 3), et tous trois reçoivent encore le renfort des deux marquis qui lisent en public des lettres accablantes pour Célimène. Abandonnée de tous ses autres galants qui se retirent successivement, la jeune femme se voit cependant offrir son pardon par Alceste, mais à condition de partir vivre avec lui à l'écart du monde. Elle ne se résout pas à accepter cette ultime proposition et sort, à son tour, seule. Éliante et Philinte, que l'événement a rapprochés, vont unir leurs efforts pour dissuader le Misanthrope ulcéré d'abandonner pour toujours la société des hommes.

La distribution du *Misanthrope* et le choix de rôles qu'il a fait est une autre originalité de cette pièce dans l'œuvre de Molière. Il ne joue plus comme ailleurs sur les oppositions, les contrastes vifs, le pittoresque : il travaille dans l'uniformité et souvent dans la simple nuance. L'âge, la condition sociale, la manière de parler introduisaient entre les personnages de ses autres grandes pièces, comme *Le Tartuffe* ou *Dom Juan,* un effet de variété et de couleur, source d'un comique éprouvé. Il y avait toujours deux, si ce n'est trois générations en scène, et au moins un Sganarelle de valet ou une servante-suivante au verbe haut qui soulignaient les premiers rôles. Ici l'éventail s'est refermé : les huit personnages principaux appartiennent tous au même milieu, parlent sa langue, en ont les manières et les costumes, et, vraisemblablement, ils ont tous entre vingt et vingt-cinq ans. Seul l'âge de Célimène est précisément donné dans la pièce (v. 984 et 1774). Il est sûr qu'Arsinoé est un peu plus âgée. Quant aux autres, le seul fait qu'on ne dise rien de leur âge implique nécessairement qu'il est en rapport normal avec celui des jeunes femmes, sinon il interviendrait dans le discours comme argument dans un sens ou un autre. On a sans doute beaucoup discuté de la possible maturité plus grande d'Alceste, il est arrivé aussi que l'on vieillisse Oronte pour accentuer la charge bouffonne : tout cela peut être admissible et même souhaitable selon les acteurs dont dispose le metteur en scène et la coloration d'ensemble qu'il veut imprimer au spectacle. Mais ces fantaisies restent des fantaisies. L'originalité de notre comédie est au contraire dans cette étroite proximité, connivence, ressemblance entre les huit premiers rôles : c'est une distribution de tragédie (tous confidents éliminés) ou, mieux, une distribution à la façon de Corneille dans ses premières comédies, *La Galerie du Palais* ou *La Place Royale* par exemple. Comme il s'agit d'une comédie et qu'il y a trois femmes, c'est un triple mariage que nous attendons normalement dans l'acte V. Mais, dira-t-on, il y a la balourdise de Basque, le valet de Célimène, à l'acte II, la raideur du garde dans les quelques mots qu'il prononce au cours du même acte, et surtout, à la fin de l'acte IV, la pantalonnade de l'accoutrement et du discours de Du Bois. En fait, ces trois rôles qui sont les seuls à échapper à l'univers des huit autres, comment ne pas voir qu'ils n'ont droit qu'à des interventions toutes ponctuelles ? Simple pause, respiration d'un instant, outils passagers de l'intrigue et d'un rire plus lourd, ils ne se haussent jamais au premier rang comme Dorine ou le Sganarelle de *Dom Juan.* Si bien que le caractère exceptionnel de la constellation des rôles dans *Le Misanthrope* saute aux yeux : trois utilités épisodiques, de rang social inférieur et de grotesque plus marqué, exclues des actes I et V, et d'autre part, seul véritable noyau de l'intérêt, ce groupe de jeunes hommes et de jeunes femmes de la meilleure société, beaux, élégants, diserts et distingués. Comme il se devait dans la distribution d'une pièce à l'époque, et comme il le fallait aussi pour donner l'impression d'une cour nombreuse autour des étoiles féminines, l'équilibre entre femmes et hommes est rompu en faveur de ces derniers : cinq contre trois, les deux rôles masculins supplémentaires constituant le couple des marquis.

Dans cette fondamentale uniformité cependant, dans cette « comédie entre égaux », selon la formule de Jacques Guicharnaud, Molière ne tarde pas à marquer des degrés. Le héros d'abord se distingue par son costume dont l'inventaire établi après la mort de Molière confirme qu'il était « garni de rubans verts », ce qui lui vaut dans la pièce une raillerie de Célimène (v. 1690). Le reste en riches étoffes or et gris se conforme au modèle général. Cette particularité vestimentaire des rubans verts qui, rappelant le goût bouffon de Molière pour cette couleur dans tous ses rôles, le signalait plaisamment comme l'interprète du rôle principal, est en accord avec une particularité similaire dans la gestuelle : il a l'agitation, la brusquerie, les éclats violents d'un colérique. C'est là encore un des jeux favoris de Molière : Arnolphe, Orgon, M. Jourdain, Argan ont tous quelques bons numéros de colère où le public attendait son acteur favori. Leur particularité chez Alceste est qu'ils sont en partie bridés par le cadre dans lequel il évolue. Mais le comique n'en est pas amoindri pour autant. Songeons aux roulements d'yeux d'Arnolphe-Molière devant les récits ingénus d'Horace. Une colère un temps contenue est une mine d'or pour un comédien de cette trempe et l'éclat final n'en est que plus puissant. Dernière particularité d'Alceste, enfin : l'altération de son langage. Il arrive à Alceste d'utiliser des formules plus embarrassées, plus excessives que les autres (voir, par exemple, v. 14, 54, 118, 141). Il le reconnaît à l'acte V : « Je n'ai point sur ma langue un assez grand empire » (v. 1574). Philinte, les marquis, Arsinoé parlent une langue beaucoup plus conforme aux recommandations de Malherbe. Par le costume, le jeu, la langue, le rôle d'Alceste, par rapport aux autres de la pièce, subit ainsi une altération qui ne semble pouvoir aller que dans le sens du risible.

### *Les personnages*

**Philinte,** que jouait à la création La Thorillière, un des meilleurs acteurs de la troupe, intelligent et fin, habituellement destiné aux rôles de princes, remarquable par la beauté de ses yeux et de ses dents, nous présente l'idéal parfait, le modèle indiscuté de cette galerie masculine. Ce qui fait son caractère idéal, c'est justement qu'il n'a à la différence des autres aucune particularité notable. La critique a souvent été dure pour ce rôle, le traitant pour le moins de « terne » et d'« effacé ». C'est ne pas comprendre ce que la discrétion peut comporter d'élégance et de grandeur. Le héros cornélien à la Molière, c'est lui : Alceste n'en est qu'une touchante caricature.

Point d'hésitation avec **les marquis.** Ils sont les seuls que leur rang suffise à définir. Ils s'appellent Acaste et Clitandre mais ils sont avant tout *marquis.* Le sentiment que leur inspire Célimène ne vaut pas que Molière le signale dans la liste des personnages. Par rapport au modèle que représente Philinte, ils constituent bien évidemment une altération caricaturale. La première scène de l'acte III est caractéristique à cet égard. Tous les avantages dont se vante Acaste : jeunesse, race, richesse, succès amoureux, goût artistique et surtout qualités physiques où les « dents » figurent en bonne place (v. 798), sont exactement ceux que l'on peut attendre d'un Philinte, par exemple, mais la différence est que Philinte les vit naturellement, sous nos yeux au moins, tandis qu'Acaste les dit, les récite et par là les détruit et se ridiculise. Tous deux sont des Philinte défigurés par une vanité outrancière. Le degré de grotesque que leur infligera à partir de là tel ou tel metteur en scène n'a pas d'intérêt en soi mais le problème se pose par rapport à Oronte.

**Oronte,** comme les marquis, se pique de littérature. Mais il va plus loin qu'eux : il est auteur. Le sonnet qu'il lit à Alceste n'a aucun caractère de ridicule très marqué. Il ressemble à toute la production galante du temps et d'*Amphitryon* à *La Princesse d'Élide* Molière lui-même a su briller dans ce genre d'écriture, alors que la chanson du roi Henri reste une pure incongruité de son héros excédé. C'est dire qu'Oronte, qu'on a vu à la scène si souvent chargé par un acteur en verve, reste davantage dans le projet initial un homme de cour très correct, dont on ne fait que sourire. L'acteur qui le jouait, Du Croisy, venait de créer et allait reprendre le rôle de Tartuffe : il n'a rien d'un pitre élémentaire. Il fait tout au plus par rapport à Philinte le pendant d'Arsinoé par rapport à Éliante. C'est ce qui lui permet de jouer avec pleine efficacité la scène 2 de l'acte V et la stichomythie qu'il partage avec Alceste pour accabler Célimène. Ce sont deux grands seigneurs qui insistent, tous deux avec excès, mais d'une symétrie sans faille dans l'accord.

Les rôles féminins ont été conçus dans un parallélisme étroit avec les rôles masculins. Si court qu'il soit, celui d'**Éliante** est essentiel, il donne la mesure, et répond parfaitement à celui de Philinte. Leur lumineuse entente finale consacrera leur ressemblance. Ce modèle idéal subit en Célimène et en Arsinoé deux altérations contraires qui rappellent celles que constituent Alceste et Oronte en regard de Philinte. Les qualités d'amabilité mondaine d'Éliante n'ont plus chez **Arsinoé** de sincérité véritable : elles y revêtent ce qu'il faut d'outré pour donner prise au soupçon et à l'accusation d'hypocrisie. Mais comme Célimène le dit, avec plus de vérité peut-être qu'elle ne croit : « Je ne dis pas qu'un jour je ne suive vos traces : / L'âge amènera tout » (v. 982-983).

Arsinoé n'est, après tout, que le proche avenir le plus probable de **Célimène.** En attendant, l'altération qui caractérise la toute jeune femme par rapport au rôle d'Éliante est d'une autre nature. L'héroïne a tout du papillon ébloui par la flamme, au sortir du couvent et d'un premier mariage. Son amabilité mondaine, à elle, est si spontanée et si excessive qu'elle tient à nos yeux tout son être de ses interlocuteurs mêmes, qu'ils tirent d'elle tous les discours qu'elle développe dans la même langue et le même état d'esprit que ceux qui ont inspiré à Oronte son sonnet. Alceste ne s'y trompe pas : « Vos ris complaisants / Tirent de son esprit tous ces traits médisants » (v. 659-660). Le trait constitutif du rôle de Célimène est cette totale extraversion. Elle est toujours en représentation et ne connaît pas d'autre façon d'être. Jamais rôle n'a poussé si loin l'essence de la comédienne. Elle n'est que ces masques qu'elle adopte tour à tour pour qui la regarde et l'écoute, et, pour nous spectateurs, rien n'apparaît jamais derrière le masque, sinon, dans la toute fin, l'aveu de l'amour du masque (v. 1769-1770, 1774). C'est de la coquetterie, si l'on veut, comme on l'a beaucoup dit, mais c'est plus simple, plus franc, plus naïf que cela — et peut-être plus inquiétant. Il faut, pour jouer Célimène, une actrice accomplie car elle est la perfection de l'actrice, à l'instant même où, devant nous, elle découvre et déclare que dans ce jeu de théâtre qu'est le monde résident sa raison d'être et sa joie de vivre. Face à des professionnelles chevronnées, ou façonnière comme la Du Parc (Arsinoé) ou réconciliée comme la De Brie (Éliante), ce rôle unique de « prima assoluta », seule la jeune Armande pouvait le jouer.

Mais cette approche extérieure et quasi formelle des personnages, indispensable pour comprendre la structure réelle de la pièce et éviter les errements romanesques dans leur analyse, ne dispense pas d'une réflexion à partir de là sur les caractères, chaque fois qu'elle est possible, ou du moins d'une considération des quelques points particuliers dans ce domaine où la critique s'est régulièrement interrogée et divisée.

Outre sa perfection et sa présence fréquente et attentive, dont le mutisme pour le spectateur est tout aussi éloquent que les grands discours des autres — rôle essentiellement théâtral qu'une diffusion radiophonique par exemple fait disparaître, déséquilibrant ainsi gravement la pièce —, Éliante est caractérisée par sa bonté, son désir de paix au milieu de tous ces bagarreurs. C'est le sens à donner à l'unique moment de la pièce où elle prend longuement la parole (v. 711-730) et que l'on qualifie souvent de couplet. On y a vu parfois un morceau de bravoure un peu gratuit où Molière réemploierait un fragment de sa traduction de Lucrèce. Le morceau est brillant certes mais, traitant de l'amour, il est lui-même un acte d'amour. Au moment où la conversation s'échauffe, s'aigrit même, Éliante sort délibérément de sa réserve, elle attaque abruptement sans aucune articulation logique sur la réplique précédente, elle badine gentiment en ayant soin de garder la parole tout le temps nécessaire pour faire retomber la tension entre Alceste et Célimène. D'où le ridicule du héros quand son hémistiche de reprise (v. 731) témoigne d'une violence inentamée, comme s'il n'avait pas écouté Éliante, et, la manière douce de sa cousine ayant échoué, Célimène est alors obligée de rompre avec brusquerie. La prise de parole d'Éliante est donc lourde d'une signification psychologique et morale. Elle seule, dans cet univers de bavards, maîtrise assez le langage pour savoir et parler et se taire.

La conduite presque subalterne de Philinte vis-à-vis d'Alceste a fait naître d'autres hésitations. Roger Ikor, par exemple, s'étonne de la brutalité, de la « grossièreté insultante » avec laquelle Alceste le traite. Par-delà le caractère atrabilaire de ce dernier, Ikor pense que Molière a délibérément conçu Philinte comme un « second », le « second » d'Alceste, non pas socialement, mais par son simple emploi dans la pièce. Que, dramaturgiquement parlant, le personnage moteur soit Alceste et qu'en ce sens Philinte lui soit inférieur ne fait pas l'ombre d'un doute. Mais sa douceur à accepter les rebuffades les plus vives de son ami, plus qu'à son rôle, tient à son caractère. Comme le couplet d'Éliante, c'est un comportement de bonté, d'amour. Son mérite est d'autant plus grand qu'il ne se fait aucune illusion sur l'espèce humaine. Il en connaît mieux qu'Alceste même les profondeurs noires (v. 173-178), et c'est du fond de l'abîme, non pas qu'il capitule cyniquement, mais qu'il fait, lui, le véritable acte d'héroïsme, qui est de répondre aux méchancetés et à la haine par l'amour. Second, et même fade second dans la structure de la pièce, Philinte en est moralement le héros et la dureté même de son ami sert à grandir sa propre générosité. Devant la nature exceptionnelle de cette amitié, nombre de commentateurs, comme on l'a fait pour Montaigne ou, avec plus de raisons, pour les petits marquis, ont cru glorieux de parler d'homosexualité. Dans le doute, la loyauté voudrait qu'on dise bien ici qu'il s'agit d'une hypothèse. Mais cette hypothèse elle-même, il faut reconnaître aussi qu'elle est, au fonctionnement de la pièce, totalement inutile. De ces dentelles convenues du discours critique contemporain, qui rappellent si fort à leur manière l'atmosphère du salon de Célimène, l'homme de théâtre véritable n'a que faire. Reste que le rôle de Philinte n'est pas facile à distribuer. C'est lui qui par contraste délimite, définit celui d'**Alceste** et lui donne son sens, alors que l'inverse n'est pas vrai. Les formules de Roger Ikor sont ici heureuses : « Molière, c'est Alceste ; mais c'est aussi Philinte. [...] C'est Philinte évacuant Alceste sur le théâtre. [...] Philinte inclut Alceste, alors qu'Alceste exclut Philinte. [...] Molière, c'est Philinte d'abord, et Alceste seulement sur fond de Philinte » (*Molière double,* P.U.F., 1977, pp. 140-144).

Molière, cependant, jouait Alceste et c'est bien le caractère de ce dernier qui a posé le plus de problèmes.

On s'est demandé s'il était comique ou tragique, s'il était bon ou mauvais : deux faux problèmes, problèmes de réception non inscrits dans la structure du texte. Il est évident que Molière jouait le héros comme largement ridicule mais qui dit qu'il n'émeuvait pas par moments, ou certaines fois ? Libre à qui veut de l'assombrir, à condition toutefois que le succès légitime après coup pour un temps cette interprétation. La couleur d'Alceste n'est donc pas un problème. Elle dépend d'abord du rapport d'intelligence que l'interprète entretient avec son public. La réponse est la même pour le caractère positif ou négatif du personnage. Pour les mêmes raisons, la même variation est possible. Mais il faut tout de même admettre que la version romantique d'un Alceste noble cœur incompris, pour intéressante qu'elle soit, n'est pas celle que Molière a inscrite dans son texte. De nos jours encore, comme à la fin du XVIIIe siècle, il est des gens face à Alceste pour s'attendrir et s'exalter devant ses caprices d'enfant irrité ou ses exigences de futur soixante-huitard. Ces attitudes ont, certes, leur valeur, et même leur grandeur, mais force est d'avouer que Molière n'allait pas dans ce sens. D'abord, il a fait son héros petit. Ce qu'il poursuit de sa fureur, ce sont toujours des injustices qui le touchent personnellement et à partir desquelles il extrapole. Il n'a aucun sens, à la différence de Philinte, du problème du mal social dans sa généralité philosophique et objective. Comme l'écrivait François Mauriac : « Dans un monde où il y aurait tant de raisons pour un honnête homme et pour un chrétien, sinon de crier, du moins de s'interroger, Alceste ne s'en prend qu'aux usages les plus anodins, à ces mensonges dont personne n'est dupe mais qui sont nécessaires à la vie de société. [...] Dans un monde où l'injustice surabonde et où le crime est partout, il ne se gendarme que contre le fretin. Il n'éprouve pas d'horreur pour ce qui est horrible — et d'abord pour lui-même : toutes ses pointes sont toujours tournées vers le dehors ; il ne se compare que pour se trouver meilleur. Sa certitude sur ce point ressemblerait à de la sottise, s'il ne fallait, ici, se souvenir de son âge. [...] Il n'interroge ni les lois de l'État, ni les dogmes de la religion, mais les dogmes et les lois du petit clan où vit Célimène,[...] car ce sont ceux-là qui le rendent malheureux » (*Journal II,* Grasset, 1937, pp. 147-148). Paul Bénichou abonde dans le même sens qui parle d'« égocentrisme puéril et désemparé », de langage démesuré « qui trahit plus de dépit que de vertu » (*Morales du Grand Siècle,* Gallimard, 1948, p. 213). On est donc libre de jouer Alceste autrement, mais il n'y a pas sur ce point de véritable problème intellectuel : il est sûr que Molière exorcisait, en le livrant aux rires du public, l'Alceste qu'il portait en lui.

Mais un problème plus sérieux demeure, qui tient à la structure interne du personnage et qu'on a peut-être jusqu'ici un peu trop légèrement résolu. Alceste est constitué, en effet, de deux mouvements antagonistes, un mouvement de retrait devant le monde et ses perversités, un mouvement d'attrait pour une femme particulière ; il est pris entre sa misanthropie et son amour. C'est « l'atrabilaire amoureux », selon le sous-titre donné d'abord à la pièce. La critique, qui pourtant tient tant d'ordinaire à la vraisemblance, s'en tire en évoquant pour une fois la dramaturgie, la nécessité de bâtir une intrigue en créant une tension. Ce n'est pas faux, mais ne serait-il pas profitable aussi de se demander comment et pourquoi Molière a réussi à faire plausiblement cohabiter dans un même rôle deux sentiments aussi opposés ? L'explication psychologique immédiate fournie par la tradition est d'abord que l'amour est une force non raisonnable (v. 248), ensuite que l'attraction des contraires est une réalité bien connue et qui joue à plein dans le cas de la volonté de sincérité d'Alceste fascinée par une femme qui n'en possède pas la moindre. Mais ne peut-on risquer une autre explication encore qui aurait l'avantage de mieux ramener à l'unité le rôle d'Alceste et l'univers de Molière ?

Comme chez Arnolphe et chez Dom Garcie, « cette grande raideur des vertus des vieux âges » (v. 153) qui caractérise Alceste pourrait n'être que la conséquence d'un certain type de passion amoureuse défini par la possession totale, et plus mentale encore que physique, de la femme aimée. Héritier de cet Alidor de *La Place Royale* (Corneille) que Molière devait bien connaître, Alceste enrage de ne pouvoir saisir l'insaisissable, de ne pouvoir enfermer la volonté libre d'un autre être. Si son choix se fixe sur Célimène, c'est qu'étant donné sa nature, cette jeune femme domptée serait pour le héros le triomphe achevé. Ses violences, dans ce sentiment, trouveraient leurs racines. La fureur de sincérité pourrait bien être dès lors le moyen et le masque d'une pulsion quasi « machiste » contre laquelle lutte pied à pied la vaillante Célimène qui défend jusqu'au bout sa liberté de femme. On comprend mieux, dans cette hypothèse, pourquoi Alceste peut paraître naïf, mesquin dans ses revendications. Il ne parle pas de l'État, il ne parle de la justice que lorsqu'elle le gêne, et de poésie que lorsqu'il la rencontre dans un de ses rivaux. Il ne s'intéresse, c'est vrai, qu'à lui-même. Mais d'une certaine façon qui lui confère une grandeur quasi métaphysique, comparable à celle d'un Don Juan et — pourquoi pas ? — d'un Tartuffe. Comme le premier, il séduit les femmes : les trois de la pièce sont amoureuses de lui. Comme le second, il méprise tous ceux qui l'entourent et leur fait constamment la leçon. Comme lui, ces deux personnages aussi couvrent d'un masque leur désir de conquête, et ce masque — Jouvet l'a bien vu — n'est que l'autre face de leur personnalité, tout aussi sincère que celle que nous croyons immédiatement reconnaître. L'appel à la grandeur peut ainsi fort bien être la forme prise chez Alceste par le cri du désir d'un tyran. Les problèmes du tyran, au demeurant Corneille les explore depuis 1630. L'année suivante, la troupe de Molière va créer *Attila*. Ce sera, sous la forme tragique, la même situation du tyran amoureux qui ne peut de la femme aimée tolérer aucun pouvoir sur lui-même. Alceste n'est plus dès lors ni pitoyable ni mesquin. Il ouvre au contraire métaphysiquement vers les abîmes de l'être, et son déchirement entre la possession et la dépossession en fait une des grandes figures philosophiques de Molière. Son combat pour la vérité accompagne dramatiquement sa seule vraie passion qui est de tenir sans être tenu, et la sincérité de son projet est authentifiée, poussée à son comble par le fait qu'avec Célimène il est loin d'avoir choisi la facilité. Dom Garcie n'était encore qu'un jaloux de comédie ; la jalousie d'Alceste, plus adulte et plus riche, a fait de lui un misanthrope c'est-à-dire, selon l'étymologie grecque, un ennemi du genre humain. La dernière des tragédies, *Dom Garcie*, est maintenant devenue la plus haute des comédies.

**Célimène** pose moins de problèmes. Une fois accepté le très jeune âge que lui donne Molière — et Armande Béjart, sa jeune femme, n'avait selon toute vraisemblance que quelques années de plus — qui déconseille d'emblée pour l'actrice une maîtrise trop mûre, reste une seule interrogation sur le degré de lucidité envers elle-même qu'on lui concédera. Ou bien inconsciente et légère, entièrement conditionnée par son milieu mondain, ou bien, derrière cette apparence, plus déterminée et réfléchie. La netteté des explications qu'elle donne à la fin du cinquième acte avant de se retirer, inclinerait vers la seconde hypothèse, à moins qu'il s'agisse, sous nos yeux mêmes, pour la jeune femme, d'un éveil cruel à la conscience. De toute manière, c'est une tête dure et solide qui apparaît. Elle sait ce qu'elle veut et sait le dire. La volonté qu'elle manifeste in extremis est l'exact pendant de celle d'Alceste. Elle entend à son tour tenir et n'être pas tenue. Rien n'est possible entre ces deux féroces. Sous des dehors faciles, Célimène est une héroïne, de la race des plus grandes. Si Rousseau avait essayé de la comprendre, peut-être aurait-il moins idéalisé Alceste. En grand homme de théâtre, Molière est plus juste qui donne à chacun d'eux ses chances, même s'il lui faut déboucher sur une négation quasi proustienne de l'amour, et le départ de celle qui n'acceptera jamais de devenir la Prisonnière. Roger Ikor le dit fort bien dans une des meilleures défenses qu'on ait présentées de Célimène : « Elle a vingt ans. Déjà veuve à cet âge, il ne semble pas qu'elle ait été liée d'amour à son mari ; sans doute, plutôt qu'un jeune homme tué à la guerre, était-ce un riche vieillard à qui on l'avait mariée sans lui demander son goût, comme c'était la coutume. Délivrée, qu'elle veuille un peu jouir de la vie ou du moins respirer, au milieu de tous ces mâles qui l'assaillent, où est le crime ? Or la voici d'un mot condamnée, ou au « désert » en compagnie de cet énergumène, ou au célibat de la honte, vouée à devenir une Armande, puis une Bélise ou une Arsinoé. Elle nous fait pitié ; mais, semble-t-il, pas à Molière ni au public de son temps. *Vae victis !* C'est la loi, la loi de la force ; l'époque l'accepte sans discussion, pour Célimène comme pour Armande. Et Molière comme les autres. Au plus perçoit-on un léger embarras dans cette fin du *Misanthrope.* Les metteurs en scène ne savent que faire de la jeune femme après le brutal "refus". Le mieux pour elle est de s'évanouir par transparence » (ouvrage cité, pp. 43-44).

## *Le travail de l'écrivain*

Dès la fin du XVIIe siècle, les réserves ont été nombreuses sur le style de Molière : La Bruyère, Bayle, Fénelon en sont de bons exemples, tout comme Vauvenargues au siècle suivant et Edmond Schérer au XIXe siècle. Mais Boileau en toute amitié, selon Brossette, pressait déjà Molière de corriger des vers comme les vers 53 à 56 du *Misanthrope* :

> Non, non, il n'est point d'âme un peu bien située
> Qui veuille d'une estime ainsi prostituée ;
> Et la plus glorieuse a des régals peu chers
> Dès qu'on voit qu'on nous mêle avec tout l'univers.

Sans doute a-t-on relevé dans la pièce des tours populaires ou déjà vieillis à l'époque (voir René Doumic, *« Le Misanthrope » de Molière*, La Pensée moderne, 1966, pp. 201-204), mais il convient ici d'être très prudents. Les duchesses de Proust et le narrateur lui-même de *La Recherche* font leurs délices de nombre de raretés lexicales. Pour ne donner qu'un exemple, lorsque, dès son entrée à l'acte II, Célimène parle de « prendre un bâton » (v. 464) pour chasser ses amants, la plaisanterie mondaine l'emporte bien évidemment sur le tour populaire. Et le style savoureux d'un Saint-Simon, plus tard, nous avertit de ne pas réduire trop vite le parler du petit théâtre aristocratique à la fade netteté des lointains épigones de Malherbe.

Surtout, si Molière a maintenu certains vers contre l'avis de Boileau, c'est que leurs points de vue diffèrent. Celui du futur auteur de *L'Art poétique* obéit à des principes abstraits et généraux de correction et de limpidité de lecture. Celui de Molière s'explique avant tout par le théâtre. Il n'est aucune de ses hardiesses de syntaxe, de ses incorrections, de ses tournures embarrassées ou de ses barbarismes qui ne soient le support ou l'indication d'un effet pour le comédien. C'est une langue jouée, vécue, non la froide consignation d'une pure pensée. Gide en son temps a marqué les mêmes hésitations devant les vers de Claudel dont se régalent pourtant de nos jours encore tant de comédiens. Chausser des lunettes de grammairien n'est pas le meilleur moyen de juger intelligemment d'une langue de théâtre. Les témoignages enthousiastes de nombreux interprètes seraient ici légion. On peut s'en tenir à celui d'un autre homme de théâtre, Alexandre Dumas fils qui, dans la « Préface » du *Père prodigue* (mai 1868), écrivait : « Ces incorrections, si choquantes à la lecture, non seulement passent inaperçues à la scène dans l'intonation de l'acteur et dans le mouvement du drame, mais encore elles donnent quelquefois la vie à l'ensemble, comme des petits yeux, un gros nez, une grande bouche et des cheveux ébouriffés donnent souvent plus de grâce, de physionomie, de passion, d'accent à une tête que la régularité grecque. »

De fait il n'est pas juste de relever et de monter en épingle les manquements à Vaugelas du style de Molière sans examiner chaque fois le moment et la situation où cette prétendue imperfection apparaît. Les vers 53 à 56, cités plus haut, par exemple, n'ont aucune grâce en effet, mais leur embarras est celui même du bourru étouffant de colère : à interpréter sur scène, ces vers sont excellents. La contre-épreuve est donnée par le fait que le discours du calme Philinte n'est jamais de la sorte affecté, que la parole d'Éliante est la limpidité même, et que la froide pureté des dernières déclarations de Célimène est un chef-d'œuvre de raison. On risque toujours de faire un mauvais procès à Molière par méconnaissance du théâtre. Sous une uniformité de surface, le style de personnages et le style de situations gardent tous leurs droits dans une pièce comme *Le Misanthrope.*

## *L'œuvre et son public*

Lorsque, le 4 juin 1666, Molière présente sa nouvelle pièce au public du Théâtre du Palais-Royal, les circonstances ne sont pas favorables. La Cour est partie à Fontainebleau et *Le Misanthrope* est d'emblée privé d'une partie de son auditoire normal. Après le succès de *L'Amour médecin, Le Misanthrope* déroute et déçoit. Dès la troisième représentation, la salle, selon Grimarest, était quasi vide : « On n'aimait point tout ce sérieux qui est répandu dans cette pièce. » Le registre de La Grange fait paraître pareille affirmation exagérée mais atteste que pour les dix premières représentations de *Dom Juan* et du *Misanthrope*, le chiffre moyen des recettes pour la seconde pièce est à peine plus de la moitié de ce qu'il a été pour *Dom Juan*. Il y eut donc un échec relatif, tout au plus un succès d'estime.

La critique elle-même fait état de réserves. Huit jours après la création, Loret dans *La Gazette*, on l'a vu, souligne avec une lourdeur un peu suspecte le côté moralisateur et sermonneur du héros. Quelques jours plus tard, Subligny, dans sa chronique de *La Muse dauphine*, se montre plus réticent encore et oppose son point de vue à celui des gens de la Cour :

> Toute la Cour en dit du bien,
> Après son *Misanthrope*, il ne faut plus voir rien.
> C'est un chef-d'œuvre inimitable ;
> Mais moi, bien loin de l'estimer,
> Je soutiens, pour le mieux blâmer,
> Qu'il est fait en dépit du diable.

Comme le remarque Antoine Adam, toutes les comédies de Molière depuis *Les Précieuses ridicules* tournaient autour de « la farce et [de] la parade ». Jusque dans sa noblesse de grand seigneur, Don Juan restait « une sorte de poupée mécanique », tandis qu'Alceste est trop plein de vérité humaine et nuancée pour convenir aux « goûts du parterre ». Dès que Molière lui adjoignit la farce du *Médecin malgré lui*, les recettes remontèrent.

*Le Misanthrope* ne parut en librairie qu'en 1667. Il était précédé d'une *Lettre sur la comédie du « Misanthrope »* dont l'auteur est Donneau de Visé, le futur fondateur du *Mercure galant* (1672). Hostile à Molière au moment de *L'École des femmes*, Donneau s'est pour lors réconcilié avec lui. Sa lettre est une présentation générale très louangeuse de l'œuvre, assortie d'analyses précises de certaines scènes et des divers personnages. On trouvera en annexe ce morceau critique de première importance.

Dans les années qui suivirent la mort de Molière, *Le Misanthrope* fut la pièce la plus jouée après *Le Tartuffe*, à la Comédie-Française. Considérée comme le modèle de la grande comédie notamment par Boileau dont *L'Art poétique* (1674) contient ces deux vers devenus célèbres (III, 399-400) :

> Dans ce sac ridicule où Scapin s'enveloppe,
> Je ne reconnais plus l'auteur du *Misanthrope,*

la pièce est très tôt l'objet d'attaques et de discussions. Fénelon, dans sa *Lettre sur les occupations de l'Académie,* lui reproche de rendre la vertu odieuse et ridicule. Le XVIIIe siècle, moins favorable que le XVIIe à cette comédie, trouve fâcheuse l'austérité d'Alceste et applaudit sans arrière-pensée à l'indulgence de Philinte jusqu'au moment où Rousseau réagit.

Dans sa *Lettre à d'Alembert sur les spectacles* (1758), ce dernier reprend avec de nouveaux arguments l'anathème de l'Église contre le théâtre et principalement contre la comédie. Molière est le premier visé. Parmi ses pièces, « celle qu'on reconnaît unanimement pour son chef-d'œuvre », *Le Misanthrope.* L'auteur, selon Rousseau, y sacrifie l'honnête homme à « l'homme aimable, l'homme de société ». Le véritable homme de bien est tourné en ridicule. C'est Alceste, non Philinte, qui aime le genre humain ; il a raison de détester la société dégradante qui l'environne. Rousseau soutient même que Molière aurait dû montrer Alceste enflammé sur tout ce qui concerne l'intérêt général et indifférent envers ce qui ne touche que lui. Si Molière a fait l'inverse, c'est uniquement dans le but de faire rire. Rousseau en vient ainsi à imaginer une autre pièce : Fabre d'Églantine l'a écrite. *Le Philinte de Molière ou la suite du Misanthrope*, comédie en cinq actes et en vers, a été représentée pour la première fois le 22 février 1790. Philinte, caricaturé sous le nom de comte de Valancès, y fait l'expérience de la générosité d'Alceste. Ce drame larmoyant et sans réel intérêt témoigne surtout de la vogue considérable de la pièce de Molière en cette fin de siècle, au même titre que l'*Éloge de Molière* de Chamfort en 1769, *Le Misanthrope corrigé* dans les *Contes moraux* de Marmontel en 1786, ou encore l'*Alceste à la campagne* de Desmoutiers en 1790 et *Le Misanthrope en opéra-comique*, comédie en un acte et en vers de Charles Maurice en 1818. Pour donner une plus juste idée du renom de la pièce, il convient enfin de mentionner à l'étranger *L'Homme franc* de William Wycherley en 1676 et *L'École de la médisance* de Sheridan en 1777, comédies librement inspirées du *Misanthrope*, ainsi que la pièce inachevée de Schiller, *Le Misanthrope réconcilié*, publiée en 1790, et le drame larmoyant de Kotzebue, *Misanthropie et Repentir*, représenté à l'Odéon en l'an VII. L'attachement du XVIIIe siècle finissant au chef-d'œuvre de Molière est un phénomène européen.

A la différence du XVIIIe siècle qui, même s'il en blâmait Molière, reconnaissait le ridicule d'Alceste, le romantisme du siècle suivant, reprenant l'opinion de Gœthe sur le tragique latent du théâtre de Molière, transforme le personnage d'Alceste en héros pathétique de la colère vertueuse contre le rire : l'acteur, loin de jouer les comiques, doit communiquer au spectateur sa tristesse généreuse. C'est déjà l'opinion de Stendhal, c'est surtout celle de Musset.

Stendhal considère d'abord que la pièce est inactuelle : « Molière, dans *Le Misanthrope*, a cent fois plus de génie que qui que ce soit ; mais Alceste n'osant pas dire au marquis Oronte que son sonnet est mauvais, dans un siècle où *Le Miroir* [journal libéral] critique librement *Le Voyage à Coblentz* [écrit de Louis XVIII], présente à ce géant si redoutable, et pourtant si Cassandre, nommé Public, précisément le portrait détaillé d'une chose qu'il n'a jamais vue et qu'il ne verra plus » (*Racine et Shakespeare*, 1825). Les partis pris de la pièce s'expliquent ensuite par la prudence politique de l'auteur : « La brillante Célimène, jeune veuve de vingt ans, s'amuse aux dépens des ridicules de ses amis ; mais on n'a garde de toucher dans son salon à ce qui est *odieux*. Alceste n'a point cette prudence. [...] Sa manie de se jeter sur ce qui paraît odieux, son talent pour le raisonnement juste et serré, sa probité sévère, tout le mènerait bien vite à la politique, ou, ce qui est bien pis, à une philosophie séditieuse et malsonnante. [...] C'est là ce que Philinte aurait dû lui dire. Le devoir de cet ami sage était d'opposer la passion de son ami à sa manie raisonnante. Molière le voyait mieux que nous ; mais l'évidence et l'à-propos du raisonnement de Philinte eût pu coûter au poète la faveur du grand roi » *(ibid.)*.

Le Musset de *Une soirée perdue* est un témoin meilleur encore de la nouvelle faveur que connaît le personnage d'Alceste :

> J'étais seul l'autre soir au Théâtre-Français,
> Ou presque seul ; l'auteur n'avait pas grand succès.
> Ce n'était que Molière, et nous savons de reste
> Que ce grand maladroit qui fit un jour Alceste,
> Ignora le grand art de chatouiller l'esprit
> Et de servir à point un dénouement bien cuit. [...]
> J'écoutais cependant cette simple harmonie,
> Et comme le bon sens fait parler le génie.
> J'admirais quel amour pour l'âpre vérité
> Eut cet homme si fier en sa naïveté ;
> Quel grand et vrai savoir des choses de ce monde,
> Quelle mâle gaieté, si triste et si profonde
> Que, lorsqu'on vient d'en rire, on en devrait pleurer. [...]

Ah ! j'oserais parler, si je croyais bien dire,
J'oserais ramasser le fouet de la satire,
Et l'habiller de noir, cet homme aux rubans verts,
Qui se fâchait jadis pour quelques mauvais vers.
S'il rentrait aujourd'hui dans Paris, la grand'ville,
Il y trouverait mieux pour émouvoir sa bile
Qu'une méchante femme et qu'un méchant sonnet ;
Nous avons autre chose à mettre au cabinet.
Ô notre maître à tous, si ta tombe est fermée,
Laisse-moi dans ta cendre, un instant ranimée,
Trouver une étincelle, et je vais t'imiter !

Alceste, passé maître à penser d'une jeunesse désenchantée, prend la figure d'un révolté incompris, mélange de Don Quichotte et de René. Célimène devient, elle, la grande coquette consciente du mal qu'elle fait et bien éloignée de la légèreté essentielle aux vingt ans de l'héroïne de Molière. Interprétation que Michelet colore d'une visée politique et anecdotique. Pour lui, *Le Misanthrope* est « une pièce infiniment hardie (plus que *Tartuffe*, peut-être, et plus que *Dom Juan*). Car si Alceste gronde, c'est plus sur la Cour que sur Célimène. Mais qu'est-ce que la Cour sinon le monde du roi, arrangé par lui et pour lui ? Ces mauvais choix pour les emplois publics qui révoltent Alceste, qui donc les a faits sinon le roi ? » Les clefs très romanesques qu'il propose ensuite pour les personnages de la pièce sont discutables mais confirment le caractère essentiel pour lui de l'éclairage personnel et politique : « Madame, éclipsée, un peu seule, languissait au Palais-Royal, lorsque Molière osa lui donner cette fête, une pièce d'opposition hardie où il a mis son cœur autant que dans *L'École des femmes*. Il y mêle la Cour, son ménage et sa jalousie, ses amours et ses haines. La prude Arsinoé (la vraie sœur de Tartuffe) est évidemment de la pieuse cabale. La sensible Éliante, qui triomphe à la fin, a la douceur d'Henriette. Tous les visages étaient reconnaissables. C'est ce qui amusa le roi et lui fit supporter la pièce. Il aimait humilier ses amis mêmes. Lauzun fort en faveur, Guiche encore en disgrâce y étaient et firent rire. « Le grand flandrin » qui perd le temps, etc., fut reconnu pour Guiche, le chevalier de Madame. Elle demanda grâce pour lui. Molière n'y voulut rien changer. Le roi probablement tenait à ce passage. Molière aussi » (*Histoire de France*, tome XV).

Dans un article du 17 février 1868, le critique Francisque Sarcey, illustrant l'esprit du XIXe siècle républicain et ce qui va devenir l'idéologie de la IIIe République, durcit encore la présentation de Michelet et, comme Musset, fait d'Alceste le modèle de l'incompris : « Alceste est le premier et le plus radical des républicains, [...] le type du révolutionnaire et du républicain. Son esprit de logique et son mépris des préjugés les plus respectables le mèneront là, s'il les applique jamais à la politique. Molière l'a livré à la risée des courtisans, parce qu'en effet il n'y a pas, pour une monarchie despotique, de plus dangereux trouble-fête que les Alceste. [...] Molière t'a voué au ridicule, pauvre et noble Alceste ; mais nous, qui t'aimons comme un modèle, comme un père, nous qui savons ce qu'il y a de généreux et de chevaleresque dans tes boutades et qui les adorons même dans ce qu'elles ont de puéril, comme notre admiration te venge des sots dédains de cette Cour ridicule ! Viens chez nous, tu es un des nôtres. »

Loin de ces effusions lyriques, le théâtre comique de la seconde moitié du siècle rend Alceste au rire et à la réflexion morale. Ainsi dans *Le Misanthrope et l'Auvergnat* (1852), Labiche montre, avec sa cocasserie habituelle, les inconvénients de la franchise dans la vie quotidienne. Son Alceste-Chiffonnet doit capituler devant les vérités impitoyables d'un porteur d'eau auvergnat. Avec plus de finesse et moins de drôlerie, Georges Courteline, dans *La Conversion d'Alceste* (1905), imagine Alceste marié à Célimène et connaissant, malgré ses efforts, les mêmes déconvenues que dans la pièce de Molière tandis que Célimène se détache peu à peu d'un mari devenu trop brutal.

Ce succès du *Misanthrope* ne se dément pas au XXe siècle, même s'il prend des formes différentes. Critiques, historiens, poètes, créateurs font moins désormais pour la pièce et son héros, que la multiplicité et la variété des représentations et des interprétations. Le public des spectateurs compte davantage que celui des lecteurs.

*De quelques représentations récentes du* Misanthrope

Contrairement à l'opinion complaisamment entretenue par les médias et dans une grande partie de l'enseignement secondaire, la vitalité du théâtre de Molière — comme celle de notre théâtre classique en général — est loin d'être épuisée. Les publics les plus divers en âge et en milieu social continuent à répondre aux invitations de nombreux jeunes metteurs en scène et comédiens. Dans les lendemains de 68, on a voulu piètre en 1973 le tricentenaire de la mort de Molière. Moins de quinze ans après, il se porte beaucoup mieux que nombre d'idées révolutionnaires sous lesquelles on a prétendu en vain l'étouffer. Un choix un peu différent a été cependant progressivement pratiqué dans son œuvre. Les pièces les plus hardies, les plus agressives sont passées au premier plan comme *L'École des femmes* et *Le Tartuffe.* Avec Vilar déjà, *Dom Juan* avait effectué une remontée remarquable qui a depuis été largement entérinée. On pouvait craindre que *Le Misanthrope* soit un des laissés-pour-compte de ce changement de goût. Pièce en vers, pièce trop habile à se couler dans le moule classique, pièce unie de ton et répudiant même ces valets qui introduisent ailleurs tant de pittoresque, pièce enfin de mondains et de singeries d'un âge révolu, *Le Misanthrope* aurait fort bien pu être enveloppé dans le relatif discrédit que connaissent par exemple *Le Bourgeois gentilhomme* ou *Les Femmes savantes*. Or, il n'en est rien. Alceste reste, ces dernières années, en province, à Paris, en banlieue, un des héros les plus vivants de Molière et nous évoquons ici quelques-unes des représentations récentes les plus remarquables de cette pièce qu'on avait voulu faire passer pour démodée.

Pour le tricentenaire de la création du *Misanthrope*, le

Grenier de Toulouse de Maurice Sarrazin, en 1966, termine sa saison par une reprise de la pièce. Maurice Sarrazin avait choisi de transposer la pièce en costumes 1900 : la référence à l'univers de Proust actualisait efficacement sans trahir. A Cabourg ou à Deauville, nous sommes aux bains de mer avec le petit clan de Célimène. Tout est mélancolique et lumineux. Un bal masqué en costumes du XVIIe siècle nous rapproche au cinquième acte de la pièce originelle, et le finale, sur des rythmes feutrés de valse lente et de polka, rappelle discrètement la chute des masques et la désillusion du bal des Guermantes dans *Le Temps retrouvé*. Alceste, sans éclats ni imprécations, observe avec plus de mélancolie que de haine une société qui demain n'existera plus. « Avec son veston étroit, son nœud papillon vert et son canotier, [il apparaît comme] un dandy mélancolique et décadent qui suscite davantage la compassion que la raillerie », écrivait Nicole Zand dans *Le Monde* du 13 avril 1966. Tchékhov, ici, ne l'emportait-il pas sur Molière ?

En octobre 1969, au Théâtre de la Ville, Marcel Bluwal — dont le *Dom Juan* télévisé de 1964 est un des chefs-d'œuvre du genre — lui aussi, évite le cadre du Grand Siècle pour un plateau stylisé et sans date où, dans un dépouillement quasi tragique, se détache sur un panneau rouge sombre le grand miroir à facettes de Célimène. Les couleurs sont franches, violentes : le cirque n'est pas loin. Leurs costumes Mao assortis fait ressembler les marquis à des garçons de piste. Philinte (Marcel Cuvelier) a des faux airs de Monsieur Loyal et Célimène (Danièle Lebrun) évoque une écuyère à côté d'Alceste (Michel Piccoli) en clergyman bleu canard. Bertrand Poirot-Delpech a caractérisé ainsi ce spectacle dans *Le Monde* des 5-6 octobre 1969 : « C'est le *no man's land* de la maladie mentale. Cadre et jeu renvoient au drame sans âge de l'inadaptation et de l'immaturité affectives, de l'incapacité de choisir qui est le propre de la névrose. »

Sous la tente, quelques années plus tard, la Comédie-Française fait recette avec *Le Misanthrope* en des lieux encore insolites pour ce type de théâtre : Nanterre, Saint-Gratien ou Sarcelles. Les onze jeunes comédiens qui participent à l'expérience ont tout fait pour éviter le souvenir des matinées scolaires. Jean-Luc Boutté (Alceste) et Catherine Hiégel (Célimène), qui sont à l'origine de cette opération, n'ont voulu du Grand Siècle que l'extérieur. Plumes, perruques et dentelles déguisent à peine une société de rustauds sales, grossiers et suffisants. Alceste n'échappe pas à cette dégradation, qui tient de beaux discours sur l'humanité mais rosse férocement son valet. Plus dure et dérisoire que jamais, la pièce se réduit à une parade de pantins cruels.

Une intention voisine d'explorer l'envers du décor anime l'année suivante à Vincennes le spectacle de Jean-Pierre Dougnac qui met en scène *Le Misanthrope ou Regards sur la folie au siècle de Louis XIV*. Dans une mise en scène digne de Samuel Beckett, les personnages en uniformes de malades s'adonnent à leurs manies, chacun est poussé dans sa dimension pathologique : « le théâtre est la scène de l'inconscient, [...] le salon de Célimène est devenu [...] un asile de fous en ces temps barbares où l'on parquait ensemble marginaux, anormaux, déviants de toute espèce » (Colette Godard, *Le Monde*, 5 mai 1976). Un grand soleil suspendu et un trône de pacotille au fond du plateau empêchent d'oublier la présence du Pouvoir, véritable responsable du pitoyable spectacle qui nous est offert. A travers cette énorme charge d'où le texte de Molière dans sa richesse de détail ne sortait jamais servi, une distanciation et une réflexion salubres étaient proposées au spectateur. Derrière les apparences polies, les complaisances mondaines et esthétiques, un éclairage d'inquiétude, d'angoisse même traversait, malgré tout, notre confortable lecture habituelle. Pourquoi ne pas suivre Molière jusque-là ?

Quand Jean-Pierre Vincent, directeur du Théâtre National de Strasbourg, y monte en 1977 son premier *Misanthrope*, il revient en apparence à une vision plus classique de la pièce. Des figures poudrées de blanc, engoncées dans de lourds costumes rigides, évoluent dans le beau décor abstrait et glacé de Jean-Paul Chambas. Leur asservissement social reste de dignité et de statisme : « Ce ne sont pas des caractères de théâtre, ce sont des personnes humaines qui essaient de vivre » (Colette Godard, *Le Monde*, 6 janvier 1977). Inquiet, torturé, bouleversant, l'Alceste de Philippe Clévenot, qui porte en lui tous les cauchemars de son créateur, évolue en homme traqué et amer sous le poids d'une misère diffuse. La tradition comique de Molière n'est pas encore retrouvée mais au moins, dans ce mystérieux climat de terreur claire, un souci d'élégance et de grandeur. Épuré et affiné, ce même spectacle, présenté au Théâtre des Amandiers de Nanterre, à l'automne 1978, a forcé l'estime des plus exigeants. On n'en peut dire autant de la reprise en 1984 à la Comédie-Française (dont Jean-Pierre Vincent est devenu entre-temps administrateur), malgré l'Alceste plus drôle et violent de Michel Aumont et la Célimène de Ludmilla Mikael surprenante par l'outrance de sa diction. Quelques moments de franc rire, mais l'ensemble reste raide, un peu morne et comme indécis.

Un an après la reprise de Vincent à Strasbourg, Antoine Vitez montait au cloître des Carmes d'Avignon, en juillet 1978, puis, à la rentrée, au Théâtre de l'Athénée à Paris, un *Misanthrope* qui succédait à la représentation de trois autres grandes pièces de Molière : *L'École des femmes, Le Tartuffe* et *Dom Juan*. La leçon de cette entreprise originale dépasse de beaucoup notre pièce. Il s'agissait d'une lecture totale conduisant les comédiens de façon souvent très mécanique à « surarticuler » le texte et à le « surmimer ». Le travail et l'intelligence sont partout mais, dans l'affaire, le devant de la scène est occupé par l'acteur et le metteur en scène, le personnage de Molière passe au second plan. On peut aimer et admirer l'exercice du comédien : il ne nous apporte rien sur Alceste. Quoi qu'il en soit, le seul fait qu'un homme comme Vitez ait tenu à monter *Le Misanthrope* est en soi révélateur. Comment nier ensuite que la pièce appartienne de nos jours encore à la recherche théâtrale la plus vive et la plus prometteuse ?

Outre le spectacle de Jacques Mauclair en 1982 au Théâtre du Marais, qui a connu un succès mérité par l'efficacité et l'intelligence modeste d'un petit impromptu d'ouverture écrit par le metteur en scène (lui-même un peu forcé dans le rôle titre), le premier semestre de l'année 1985, à lui seul, a vu naître deux nouveaux Alceste de grand intérêt. Deux jeunes compagnies, La Poursuite et Le Nouvel An, se sont unies pour monter en janvier *Le Misanthrope* à l'Escalier d'or, dans une atmosphère rafraîchissante de fougue juvénile essayant vainement de secouer les oripeaux d'une fête désabusée. Quelques mois après, la Maison de la Culture de Bobigny prend brillamment la relève. Autour de Gérard Desarthe, Alceste prestigieux, tout de finesse et de retenue, André Engel, le metteur en scène, a conçu, avec le décorateur Nicky Rieti, un dispositif original : le public se trouvait enfermé et parqué à l'extrémité d'une immense salle de haras, dans un manège attenant à l'hôtel de Célimène dont les fenêtres sur un côté constituaient comme une galerie. Les chevaux sont là, les personnages les montent en tenue adéquate, avant de revêtir leur allure mondaine : le tout dans un respect absolu du texte et de ses significations. Sans doute l'intérêt de l'image déséquilibrait-il un peu le spectacle, d'autant que le reste de la troupe n'était pas à la hauteur du protagoniste, mais le monde du cheval apportait beaucoup à la « vertu des vieux âges », objet de la quête furieuse d'Alceste, et, avec une franchise sans appel, sombrait le souvenir des grimaces futiles de tant de conversations mondaines où s'enlisent parfois les meilleurs *Misanthropes.* Ce qui se passe dans cette pièce est grand, et même un peu sauvage : il était bon de nous le faire éprouver.

### *Les grands interprètes d'Alceste*

Le rôle de Célimène a sans doute évolué de la jeune première brillante au monstre sacré ; les marquis, Oronte et Arsinoé ont sans surprise varié selon le degré de charge bouffonne et caricaturale choisi pour eux par le metteur en scène et le goût de l'époque. Trop court, le rôle d'Éliante ne se prête pas à beaucoup de fantaisies. Quant à Philinte il a, entre la force et la fadeur, oscillé sans histoires. Reste Alceste, le rôle clef, celui de Molière, qui porte avec lui le sens et la couleur de la pièce.

Après la mort de Molière, *Le Misanthrope* fut la première pièce jouée à la réouverture du théâtre le 24 février 1673. Le jeune Baron, qui était devenu le comédien favori de Molière, joue le rôle titre : il n'a pas vingt ans. Au-delà de l'hommage au maître, on peut tout de même en retenir que si le rôle semble d'ordinaire celui d'un homme déjà mûr, ses éclats n'ont rien d'inconcevable de la part d'un fougueux adolescent. Rien à tirer en revanche du fait que Baron, touchant à l'extrême vieillesse, reprit le rôle après 1720 : les meilleurs acteurs nous ont habitués à de pareils exploits que le grand théâtre autorise. Ce qui est plus intéressant, c'est que Baron, au dire d'un témoin, adoucissait, polissait très fortement le personnage : « Il y mettait non seulement beaucoup de noblesse et de dignité mais il y joignait encore une politesse délicate et un fond d'humanité qui faisaient aimer le Misanthrope. Il se permettait quelques brusqueries et de l'humeur, mais toujours ennoblies par ses tons et par son jeu. Rien d'impoli, rien de grossier ne lui échappait. [...] Baron jugeait avec raison qu'il était nécessaire que l'acteur prît le ton du grand monde. Par ce motif sensé, il adoucissait ce rôle, au lieu de le pousser trop loin et de l'outrer. [...] A peine les comédiens d'à présent distinguent-ils le Misanthrope du grondeur ou du bourru » (« Lettres d'un homme de l'autre siècle », le 15 juin 1776, dans *Le Nouveau Spectateur* de Lefuel de Méricourt, cité par René Doumic, *op. cit.*, p. 233). Ce jeu du vieux Baron peut être chez lui un effet de l'âge, mais pourquoi ne pas supposer aussi qu'il se rattache au souvenir du Maître feutrant d'une certaine manière pour jouer Alceste les rudes explosions d'Orgon ou d'Argan ? En réaction, Molé qui reprit le rôle en 1778 le jouait avec beaucoup de violence, et son interprétation reste célèbre par un jeu de scène vigoureux : dès le cinquième vers, se levant brusquement de son siège, il le cassait de rage.

Le XIX^e^ siècle a oscillé entre ces deux extrêmes. Du côté de la jeunesse et de la violence : Firmin qui imprimait à la pièce entière un mouvement endiablé, Lafontaine qui jouait allégrement de son lumineux accent bordelais, Bressant ou Delaunay aimables et fringants. Du côté de la raison et de la retenue : le sombre Geffroy, Maubant et Silvain par qui le rôle ressemblait presque à celui d'un père noble, Worms et Leitner tout en émotion contenue. Ce second versant du rôle confine à la déformation avec l'interprétation de Lucien Guitry, en 1922, à la fin de sa carrière. Il devient quasiment l'unique personnage de la pièce. Comme son interprète, Alceste a tout maintenant d'un monstre sacré et se comporte en véritable stoïcien : « De toute la hauteur de sa taille et de tout le poids de sa carrure, l'Alceste de 1922 dépasse et domine les marionnettes humaines qui s'agitent à son ombre. Une figure ravagée par l'âge et la souffrance : M. Guitry a mis sa coquetterie à se vieillir. Un masque immobile : nul signe de vie, sauf des yeux qui de haut en bas toisent plus qu'ils ne regardent, et des lèvres qui se crispent. Les gestes réduits au minimum. Une statue de la douleur et du dédain, de l'amertume remâchée et de l'ironie recuite. Un air extatique qui se change en attaques brusquées. Un surhomme, martyr de sa supériorité, et qui se venge » (René Doumic, *op. cit.*, p. 235). Autre interprétation émouvante et quasi douloureuse à la même époque : celle de Jacques Copeau. Mais déjà le retour du balancier a commencé.

Violence et brusquerie caractérisent le jeu de Grandval qui, par un fauteuil brutalement tiré et installé sur l'avant-scène, imposait un Alceste fougueux avant d'avoir ouvert la bouche. Quant à Pierre Dux en 1947, Jean-Jacques Gautier le compare à un « taureau qui fonce sur les chiffons rouges des plus minces hypocrisies [...]. Son indignation lui montait à la tête. Une fureur un peu bornée était dans son mouvement. » Avec un autre tempérament, l'interprétation de Jean Marchat la même année, au Théâtre des Mathurins, allait dans le même sens d'un comique sans détours. Un peu en marge, dix ans auparavant, Aimé Clariond à la Comédie-Française avait, en 1936, mis l'accent sur la faiblesse réelle d'Alceste, homme résigné, battu d'avance, malgré ses éclats, dont le sublime ne tient pas et qui nous touche par sa tendresse. Cette lecture originale n'a pas créé de tradition. Elle atténuait le comique mais conférait au héros une précieuse humanité. Mauriac l'a aimée, tout en en reconnaissant les limites : « Pour nous rendre attentifs à cette fausse grandeur, pour aller contre une tradition qui remonte à Molière, il eût fallu seulement détenir cette vertu essentielle des comédiens, qui est le total de leurs dons les plus divers et qui s'appelle l'autorité » (*Journal II*, Grasset, 1937, p. 146).

Jean-Louis Barrault, enfin, au Théâtre Marigny, en 1954, a su unir dans le rôle une sincérité entière et saisissante à un mouvement presque allègre qui ordonnait toute la pièce en une fête autour de la plus incomparable des Célimène : Madeleine Renaud. La coquetterie célèbre de Mlle Mars, de sa révérence et de son jeu d'éventail congédiant presque au dénouement ceux qui la laissent partir — mélange de rouerie et de dignité parfaitement illustré par exemple par Cécile Sorel ou Annie Ducaux —, s'unissait très heureusement chez Madeleine Renaud à une apparence de fragilité : le spectateur s'interrogeait pathétiquement sur l'émotion intérieure de cette jeune femme frêle et dure qui, dans un silence total, à peine souriante, tournait lentement sur elle-même et se dirigeait à pas comptés vers la sortie. Alceste était son rôle mais Molière a joué franc jeu. Celui de Célimène a été par lui loyalement écrit : il est toujours susceptible de lui ravir la première place.

## *Dramaturgie*

Les règles suivies par Molière dans l'élaboration de sa pièce n'ont rien d'inattendu. Ce sont celles de la grande dramaturgie classique, telles que les a tirées au clair l'ouvrage fondamental de Jacques Schérer (voir « Bibliographie »). On peut même dire que cette pièce est, avec *Les Femmes savantes* ensuite, celle où il les a le mieux et, dirait-on, le plus naturellement appliquées. Les impératifs de vraisemblance, de bienséance et, par-dessus tout, le souci d'intensité et d'efficacité sur un public donné, ont sans effort conduit Molière à un nombre important de restrictions — dans le temps, l'espace ou l'action — où la volonté d'imiter le réel ne subit aucune éclipse.

Sans aller jusqu'aux précisions de Jacques Arnavon (voir « Bibliographie ») qui fait dans une même journée commencer le premier acte vers onze heures et finir le dernier vers neuf ou dix heures — Arnavon imagine même une baisse de l'éclairage au vers 1584 : « Dans ce petit coin sombre avec mon noir chagrin » —, il est de fait qu'on ne saurait sans artifice dépasser pour la pièce les limites d'une journée (voir la préface de Jean-Pierre Vincent). Alceste, déjà exaspéré au lever du rideau, reçoit coup sur coup plusieurs excitations imprévues qui, conjuguées à d'autres éléments annexes, rendent inéluctable un dénouement rapide. Au lieu d'essayer d'étirer ce temps à la manière de certains metteurs en scène, il serait meilleur de chercher à jouer l'ensemble presque en temps réel avec de simples pauses musicales pour les entractes. Le temps du *Misanthrope* est un temps « surclassique », plus resserré que dans toute autre grande comédie de Molière. Mieux vaut s'inspirer pour le traiter d'une longue et dense scène de Strindberg que d'un caprice à la Musset ou Shakespeare.

L'espace suit le temps. Il est fermé : c'est un intérieur. Les seuls éléments mobiles (sièges et portes) ne feront jamais qu'accompagner les mouvements des personnages : ces derniers seuls constituent l'événement. On les voit donc tous pris tour à tour dans ce lieu unique, le salon de Célimène, comme ils sont tous suspendus à la déclaration attendue de la jeune femme. Pris, presque prisonniers, en tout cas retenus dans la cage dorée de la magicienne. De ce côté-là encore, Molière n'est pas loin de réussir une percée « surclassique » qui le mette aux portes du romantisme ou, mieux, du symbolisme. Que l'on songe à la chambre de la Reine à l'acte II de *Ruy Blas* ou au Géyn de Violaine dans *L'Annonce faite à Marie* : ces lieux tendent à ne plus être que l'extériorisation de l'univers mental des personnages. Ici, sans doute, le lieu est unique mais il n'a rien de commun avec le palais à volonté, la place ou la salle interchangeables des pièces classiques ordinaires. L'endroit choisi cette fois est celui précisément où Célimène exerce souverainement l'activité menteuse et mondaine qui fait problème. Le lieu lui-même parle, c'est un espace vivant et quasi intérieur : il est le prolongement, la projection de l'héroïne. Dans un registre différent, la force expressive de ce salon n'a de comparable que le temple de Jérusalem dans *Athalie*.

Une volonté de mimésis capitale règne dans toute la pièce. Le temps et l'espace y sont historiquement et géographiquement situés. Ils sont actuels, c'est-à-dire, sans aucun décalage, ceux du spectateur de 1666. Ce qui n'exclut pas, bien évidemment, quelque exagération dans le jeu ou les costumes. Mais nous sommes obligatoirement au Grand Siècle, dans un milieu de jeunes aristocrates proches du Louvre et de la Cour. Cette constatation, loin de résoudre le problème de la mise en scène contemporaine, le relance de plus belle. Car jouer maintenant cette pièce en décor et costumes d'époque, c'est la dater comme historique, alors que le premier souci de Molière était de la rendre actuelle. D'un autre côté, la jouer, comme on l'a souvent fait, en habits modernes, c'est se résigner à rendre à plusieurs endroits le texte absurde et même inintelligible, ce que n'avait pas voulu non plus Molière et qui nuit en fin de compte à l'effet d'actualité lui-même. La solution est donc toujours dans une cote mal taillée où l'acteur et le metteur en scène jouent sur les deux tableaux. Marier selon le goût d'un public donné des éléments modernes et des éléments anciens en nombre suffisant pour rendre possible le double jeu, est sans doute la meilleure formule qui satisfasse la contradictoire exigence de mimésis et d'actualité, exigence essentielle à cette pièce plus qu'à beaucoup d'autres.

La construction de l'intrigue dans *Le Misanthrope* est d'autant plus heureuse qu'elle passe presque inaperçue. Elle a fait souvent illusion au point que beaucoup ne l'ont pas vue. Schlegel déclarait qu'il n'y en avait pas, Nisard qu'elle n'existait que « dans la tête de certains commentateurs qui ne souffrent pas de comédie sans intrigue », et Faguet voyait dans cette comédie « le triomphe de la pièce sans sujet ». Voltaire leur avait indiqué la voie qui, dans le sommaire de l'édition des *Œuvres* de Molière en 1739, déplorait pour cette pièce l'abondance excessive de conversations « qui refroidissent un peu l'action ». Mais le verdict de la postérité ne permet plus de considérer Voltaire comme une autorité dans le domaine du théâtre. On a reconnu depuis la force et le dynamisme de l'action dans cette pièce : les événements, les péripéties y sont d'une autre nature que dans *Le Tartuffe* ou dans *Les Fourberies de Scapin* mais le mouvement imprimé à l'ensemble, l'intensité de l'attente qui se creuse chez le spectateur ne sont pas de nature fondamentalement différente. Paul Souday l'écrivait déjà : « Dans *Le Misanthrope*, il y a plus d'intrigue, plus d'événements que dans la plupart des tragédies de Racine, si l'on excepte les meurtres et suicides du dénouement » (cité par Gustave Michaut, *Les Luttes de Molière*, p. 234). En fait d'action, ce qui compte, c'est la tension, l'élan : ils ne faiblissent jamais ici.

Le coup d'envoi, dès le lever du rideau, est la colère d'Alceste qui, comme un leitmotiv obsédant, reviendra régulièrement jusqu'à l'acte V, chaque fois variée, renouvelée, augmentée par un incident et un contexte nouveaux : sonnet d'Oronte à l'acte I, portraits salonnards de l'acte II, irruption d'importuns aux actes II et IV, Arsinoé et son billet aux actes III et IV. Mais, outre l'occasion chaque fois différente des explosions de colère, court une irritation globale devant l'impossible explication avec Célimène. C'est ce que le spectateur, avec Alceste, attend et dont il est sans cesse frustré. Passé le superbe prologue que constitue à l'acte I la scène avec Oronte, Molière a la malice d'ouvrir l'acte II par la fameuse entrevue du couple central si bien que la pièce peut sembler un instant très proche de son terme, mais les incidents vont ensuite plaisamment s'accumuler : visites des marquis et d'Arsinoé, entrées successives de Basque, d'un garde, de Du Bois, qui, habilement exploitées par Célimène, chaque fois nous déçoivent et nous font rire en différant la grande conversation escomptée. L'acte le plus caractéristique de ce type de construction — il n'est rien d'autre, s'il est bien joué, qu'un pathétique suspens comme l'ensemble de la pièce — est l'acte IV. La fureur d'Alceste, dans la célèbre scène 3 où il vient demander raison à Célimène d'un billet compromettant, semble réaliser notre vœu : cette fois la scène se développe normalement. Contre toute attente, Célimène l'emporte mais jamais le dénouement n'avait été aussi proche, quand l'irruption de Du Bois bizarrement accoutré nous prive soudain de la fin et oblige Alceste à une sortie précipitée. Le spectateur est ainsi projeté en avant vers l'acte V, d'autant qu'il ne peut même pas pressentir encore ce que sera le dénouement. Jusqu'au bout l'incertitude reste complète. La fin de la scène 3 de l'acte IV ne fermait pas la porte à une réconciliation des amants. Les petits coups de théâtre successifs du début de l'acte V renversent peu à peu notre fragile espoir. Nous ne doutons pas cependant qu'une fois de plus Célimène n'arrive à se tirer d'un mauvais pas. Si bien qu'à la toute fin, quand tombe le verdict, tout raisonnable qu'il est, il garde quelque chose, surtout dans une comédie, d'une véritable surprise. C'est, de tous les dénouements de Molière si souvent critiqués, le plus naturel, le plus fort, le plus vivant. L'accord de Philinte et d'Éliante, qui donne à la pièce la fin obligée d'une comédie, scelle irrémédiablement le sort et la solitude du héros. Il ne manque pas même à cette fin le rappel du début : Alceste était apparu furieux à la scène première, il sort furieux sur le dernier éclat des vers 1803-1806, et Philinte, aidé par Éliante, s'apprête à le raisonner comme au lever du rideau.

Favorisé sans aucun doute par le sujet et le milieu qu'il avait choisis, Molière a réussi dans *Le Misanthrope*, du point de vue dramaturgique, un chef-d'œuvre dont seules quelques tragédies de Racine donneront l'équivalent. C'est bien, comme l'écrivait René Jasinski, « la comédie type du classicisme. Ni *Le Tartuffe* ni *Les Femmes savantes* n'atteignent cette maîtrise. Jamais action comique n'avait mis en œuvre à la fois pareille plénitude et pareille subtilité de moyens. A cet égard, on touche un terme extrême, fruit de multiples efforts et tâtonnements avant Molière et chez Molière lui-même, possible seulement dans tout l'épanouissement du génie à l'époque du classicisme le plus achevé » (*Molière et « Le Misanthrope »*, Armand Colin, 1951, p. 283).

## *Vers clefs*

Je veux qu'on soit sincère, et qu'en homme d'honneur
On ne lâche aucun mot qui ne parte du cœur.
ALCESTE, v. 35-36.

Je veux qu'on me distingue ; et, pour le trancher net,
L'ami du genre humain n'est point du tout mon fait.
ALCESTE, v. 63-64.

J'entre en une humeur noire, en un chagrin profond,
Quand je vois vivre entre eux les hommes comme ils [font.
ALCESTE, v. 91-92

Il faut, parmi le monde, une vertu traitable ;
A force de sagesse, on peut être blâmable ;
La parfaite raison fuit toute extrémité,
Et veut que l'on soit sage avec sobriété.
PHILINTE, v. 149-152.

Il est vrai : ma raison me le dit chaque jour ;
Mais la raison n'est pas ce qui règle l'amour.
ALCESTE, v. 247-248

Ce style figuré, dont on fait vanité,
Sort du bon caractère et de la vérité :
Ce n'est que jeu de mots, qu'affectation pure,
Et ce n'est point ainsi que parle la nature.
ALCESTE, v. 385-388.

Plus on aime quelqu'un, moins il faut qu'on le flatte ;
A ne rien pardonner le pur amour éclate.
ALCESTE, v. 701-702.

L'amour, pour l'ordinaire, est peu fait à ces lois,
Et l'on voit les amants vanter toujours leur choix ;
Jamais leur passion n'y voit rien de blâmable,
Et dans l'objet aimé, tout leur devient aimable.
ÉLIANTE, v. 711-714.

Madame, on peut, je crois, louer et blâmer tout,
Et chacun a raison suivant l'âge ou le goût.
Il est une saison pour la galanterie,
Il en est une aussi propre à la pruderie.
CÉLIMÈNE, v. 975-978.

Être franc et sincère est mon plus grand talent ;
Je ne sais point jouer les hommes en parlant.
ALCESTE, v. 1087-1088.

Et la sincérité dont son âme se pique
A quelque chose, en soi, de noble et d'héroïque.
ÉLIANTE, v. 1165-1166.

Je sais que sur les vœux on n'a point de puissance,
Que l'amour veut partout naître sans dépendance,
Que jamais par la force on n'entra dans un cœur,
Et que toute âme est libre à nommer son vainqueur.
ALCESTE, v. 1297-1300.

Ah ! traîtresse, mon faible est étrange pour vous !
Vous me trompez sans doute avec des mots si doux.
ALCESTE, v. 1415-1416.

Puisque entre humains ainsi vous vivez en vrais loups,
Traîtres, vous ne m'aurez de ma vie avec vous.
ALCESTE, v. 1523-1524.

La solitude effraye une âme de vingt ans.
CÉLIMÈNE, v. 1774.

Trahi de toutes parts, accablé d'injustices,
Je vais sortir d'un gouffre où triomphent les vices,
Et chercher sur la terre un endroit écarté
Où d'être homme d'honneur on ait la liberté.
ALCESTE, v. 1803-1806.

## *Biographie (1622-1673)*

15 janvier 1622. — Baptême à Saint-Eustache (Paris) de Jean, dit Jean-Baptiste, de Pouguelin *(sic)*, qui sera Molière. Le baptême suivait ordinairement la naissance de très près. Les Poquelin (orthographe habituelle) sont tapissiers depuis trois générations. La famille de la mère est également une famille de tapissiers. Ils habitent tous le quartier des Halles.

1632. — Mort de la mère de Jean-Baptiste.

1633. — Remariage du père.

1636. — Mort de la belle-mère de l'enfant.

1636-1640. — Études au collège de Clermont (actuel lycée Louis-le-Grand), suivies d'études de droit à Orléans.

1643. — Le jeune homme renonce à la survivance de la charge de tapissier. La troupe de l'Illustre-Théâtre se constitue. Molière, qui prendra ce surnom l'année suivante, signe ainsi que Madeleine Béjart le contrat d'une société avec leurs huit autres camarades. Ils jouent d'abord au jeu de paume des Métayers, dans le faubourg Saint-Germain, puis au jeu de paume de la Croix-Noire, au port Saint-Paul. Mais les affaires sont mauvaises. Molière, le 2 et le 4 août 1645, est même emprisonné pour des dettes qui ne seront réglées que lentement, les dernières en 1666 seulement.

1646-1658. — Molière et Madeleine Béjart jouent en province, d'abord dans la troupe dirigée par Charles Du Fresne, que protègent dans un premier temps le duc d'Épernon, puis de 1653 à 1657 le prince de Conti.

1654. — Création à Lyon de *L'Étourdi.*

1656. — Création à Béziers du *Dépit amoureux.*

24 octobre 1658. — De retour à Paris, et protégé désormais par Monsieur, frère du roi, la troupe, dans la salle des gardes du vieux Louvre, joue devant Louis XIV et sa cour *Nicomède* de Corneille et un « petit divertissement » de Molière, *Le Doc-*

*teur amoureux*, aujourd'hui perdu. Devant le succès, le roi accorde à la troupe la salle du Petit Bourbon en alternance avec les Italiens.

18 novembre 1659. — *Les Précieuses ridicules.*

28 mai 1660. — *Sganarelle ou le Cocu imaginaire* : gros succès.

11 octobre 1660. — Chassé sans préavis de son théâtre qu'on va démolir par M. de Ratabon, le surintendant des bâtiments, Molière obtient, grâce à la faveur du roi, la salle du Palais-Royal.

4 février 1661. — *Dom Garcie de Navarre.*

24 juin 1661. — *L'École des maris.*

17 août 1661. — *Les Fâcheux* à Vaux-le-Vicomte, chez Fouquet.

20 février 1662. — Mariage de Molière avec Armande Béjart, jeune sœur ou, selon certains, fille de Madeleine.

26 décembre 1662. — *L'École des femmes.*

1er juin 1663. — *La Critique de l'École des femmes.*

Entre le 16 et le 21 octobre 1663. — *L'Impromptu de Versailles.*

29 janvier 1664. — *Le Mariage forcé,* créé au Louvre.

28 février 1664. — Baptême de Louis, fils de Molière, né le 19 janvier. Le roi est parrain, Henriette d'Angleterre marraine. L'enfant ne vivra que dix mois.

17 avril 1664. — Début de l'affaire du *Tartuffe.* Les membres de la Compagnie du Saint-Sacrement s'élèvent contre cette « méchante comédie ».

30 avril-22 mai 1664. — La troupe est à Versailles pour les fêtes des *Plaisirs de l'Ile enchantée.* Le 8 mai, création de *La Princesse d'Élide*, et, le 12, représentation de trois actes du *Tartuffe.*

29 novembre 1664. — Représentation privée au Raincy d'un *Tartuffe* en cinq actes.

15 février 1665. — *Dom Juan* au Palais-Royal. La pièce ne sera pas reprise après Pâques et le roi ne la verra pas.

4 août 1665. — Baptême d'Esprit-Madeleine, fille de Molière, la seule enfant qui ait survécu.

14 août 1665. — La troupe devient la Troupe du Roi, qui lui donne une pension de 7 000 livres.

14 septembre 1665. — Création à Versailles de *L'Amour médecin.*

Décembre 1665. — Difficultés avec Racine qui emporte sa tragédie d'*Alexandre* à l'hôtel de Bourgogne.

29 décembre 1665-21 février 1666. — Relâche. Molière est très malade et manque de mourir. Rechutes vraisemblables en 1667 et 1668.

4 juin 1666. — *Le Misanthrope* au Palais-Royal.

6 août 1666. — *Le Médecin malgré lui.*

Août-décembre 1666. — La querelle de la moralité du théâtre, à travers d'Aubignac et Conti, atteint de plein fouet Molière.

Décembre 1666-février 1667. — A Saint-Germain-en-Laye, dans le cadre du *Ballet des Muses*, création de *Mélicerte*, puis de *La Pastorale comique* (aujourd'hui perdue), et enfin du *Sicilien ou l'Amour peintre.*

4 mars 1667. — Création de l'*Attila* de Corneille au Palais-Royal.

5 août 1667. — Unique représentation au Palais-Royal de *L'Imposteur*, qui n'est autre que *Le Tartuffe.* L'interdiction est immédiate. La troupe reste sept semaines sans jouer.

11 août 1667. — L'archevêque de Paris, Hardouin de Péréfixe, publie une ordonnance d'interdiction contre la comédie de *L'Imposteur.*

21 août 1667. — Première mention connue de la maison de campagne de Molière à Auteuil. Il est probable que, séparé d'Armande, il s'y repose en compagnie de Chapelle, de Boileau et du jeune Baron dont il fera un très grand comédien.

13 janvier 1668. — Création d'*Amphitryon* au Palais-Royal.

Février 1668. — Sonnet de Molière : *Au roi, sur la conquête de la Franche-Comté.*

18 juillet 1668. — Création de *George Dandin* à Versailles, dans le cadre du *Grand Divertissement royal.*

9 septembre 1668. — Création de *L'Avare* au Palais-Royal.

5 février 1669. — *Le Tartuffe* est enfin représenté librement au Palais-Royal. Succès considérable.

4 avril 1669. — *La Gloire du Val-de-Grâce*, pièce de vers écrite par Molière à la louange de la fresque de son ami, le peintre Mignard.

6 octobre 1669. — Création de *Monsieur de Pourceaugnac* à Chambord.

4 janvier 1670. — Achevé d'imprimer d'une pièce satirique en cinq actes visant Molière, *Élomire hypocondre*, de Le Boulanger de Chalussay.

4 février 1670. — Création des *Amants magnifiques* à Saint-Germain pour le carnaval.

14 octobre 1670. — Création du *Bourgeois gentilhomme* à Chambord.

28 novembre 1670. — Création de *Tite et Bérénice* de Corneille au Palais-Royal.

17 janvier 1671. — Création de *Psyché* devant le roi, aux Tuileries.

24 mai 1671. — Création des *Fourberies de Scapin* au Palais-Royal.

2 décembre 1671. — Création à Saint-Germain-en-Laye, devant la Cour, de *La Comtesse d'Escarbagnas*, pièce en un acte composée pour servir de préambule au *Ballet des ballets.*

17 décembre 1671. — Mort de Madeleine Béjart qui a reçu les derniers sacrements et signé une renonciation à son métier de comédienne.

11 mars 1672. — Création des *Femmes savantes* au Palais-Royal.

29 mars 1672. — Privilège accordant à Lulli l'exclusivité de la musique chantée. Vaines protestations de la troupe de Molière.

10 février 1673. — Création du *Malade imaginaire* au Palais-Royal.

17 février 1673. — Quatrième représentation du *Malade imaginaire*. Molière, malade, refuse d'annuler le spectacle. Pris d'un malaise en prononçant le *juro* de la cérémonie finale, il est transporté à

son domicile, rue de Richelieu, où il meurt une heure après. Armande sollicite auprès du roi, puis obtient de l'archevêque de Paris l'autorisation que Molière soit enterré dans le cimetière de Saint-Eustache.

24 février 1673. — Réouverture du Palais-Royal avec *Le Misanthrope*, Baron reprenant le rôle d'Alceste.

Mars 1673. — Molière n'ayant pas, semble-t-il, rédigé de testament, Armande est désignée par le conseil de famille comme tutrice de la petite Marie-Madeleine-Esprit. Un inventaire des biens de Molière est établi (13-21 mars).

31 mai 1677. — Armande se remarie avec le comédien Guérin d'Estriché.

1682. — Parution des *Œuvres de Monsieur de Molière, revues, corrigées et augmentées.*

1723. — Mort sans descendance de la fille de Molière.

## Bibliographie

Le lieu d'édition, sauf indication contraire, est toujours Paris. Pour les ouvrages et articles anciens, se reporter à :

CIORANESCU, Alexandre, *Bibliographie de la littérature française du XVII^e siècle,* tome II, Éditions du Centre National de la Recherche Scientifique, 1966.

### Éditions

Pour les éditions les plus anciennes, voir :

GUIBERT, A.-J., *Bibliographie des œuvres de Molière publiées au XVII^e siècle,* 2 vol., C.N.R.S., 1961, ainsi que ses deux *Suppléments* (1965 et 1973).

L'édition actuelle la plus complète et la plus accessible est celle de Georges Couton dans la Bibliothèque de la Pléiade : Molière, *Œuvres complètes,* 2 vol., Gallimard, 1971, revue et mise à jour en 1976.

On peut encore consulter avec profit l'édition des

Grands Écrivains de la France, Hachette, 1873-1893, établie par Eugène Despois et Paul Mesnard.

**Ouvrages généraux sur Molière et son œuvre**

ADAM, Antoine, *Histoire de la littérature française au XVII^e^ siècle,* tome III, Domat, 1952.

AUDIBERTI, Jacques, *Molière dramaturge,* L'Arche, 1954.

BONVALLET, Pierre, *Molière de tous les jours,* Le Pré aux Clercs, 1985.

BRAY, René, *Molière, homme de théâtre,* Mercure de France, 1954.

CAIRNCROSS, John, *Molière bourgeois et libertin,* Nizet, 1963.

CHANCEREL, Léon, *Molière,* P.L.F., 1953.

COLLINET, Jean-Pierre, *Lectures de Molière,* Armand Colin, 1974.

CONESA, Gabriel, *Le Dialogue moliéresque. Étude stylistique et dramaturgique,* P.U.F., 1983.

DEFAUX, Gérard, *Molière ou les métamorphoses du comique : de la comédie morale au triomphe de la folie,* Lexington, Kentucky, French Forum Publishers, 1980.

DESCOTES, Maurice, *Les grands rôles du théâtre de Molière,* P.U.F., 1960.

*Molière et sa fortune littéraire,* Saint-Médard-en-Jalles, G. Ducros, 1970.

GARAPON, Robert, *La Fantaisie verbale et le Comique dans le théâtre français du Moyen Age à la fin du XVII^e^ siècle,* Armand Colin, 1957.

GAXOTTE, Pierre, *Molière,* Flammarion, 1977.

GOLDSCHMIDT, Georges-Arthur, *Molière ou la liberté mise à nu,* Julliard, 1973.

GUICHARNAUD, Jacques, *Molière, une aventure théâtrale. Le Tartuffe, Dom Juan, Le Misanthrope,* Gallimard, 1963.

GUTWIRTH, Marcel, *Molière ou l'invention comique. La métamorphose des thèmes, la création des types,* Minard, 1966.

IKOR, Roger, *Molière double,* P.U.F., 1977.

JASINSKI, René, *Molière,* Hatier, 1969.

JOUVET, Louis, *Molière et la comédie classique,* Gallimard, 1965.

MONGRÉDIEN, Georges, *Recueil des textes et documents du XVII^e^ siècle relatifs à Molière,* 2 vol., C.N.R.S., 1966.

MOORE, W.G., *Molière, a new criticism,* Clarendon Press, Oxford, 1949.

SCHÉRER, Jacques, *La Dramaturgie classique,* Nizet, 1950.

SIMON, Alfred, *Molière par lui-même,* Le Seuil, 1957.

TRUCHET, Jacques, *La Thématique de Molière,* C.D.U.-S.E.D.E.S., 1985.

**Ouvrages et articles sur *Le Misanthrope***

ARNAVON, Jacques, *L'Interprétation de la comédie classique : Le Misanthrope,* Plon, 1914.

COQUELIN, Constant, *Molière et « Le Misanthrope »,* Ollendorf, 1881.

DOSMOND, Simone, « Le Dénouement du *Misanthrope* : une source méconnue ? », *in La Licorne,* n° 7, Université de Poitiers, 1983.

DOUMIC, René, *« Le Misanthrope » de Molière,* Mellotée, 1929.

JASINSKI, René, *Molière et « Le Misanthrope »,* Armand Colin, 1951.

LINDSAY, F.W., « Alcest and the Sonnet », *in French Review,* n° XXVIII, 1954-1955.

MONOD, Richard, « Critique, dramaturgie, pédagogie. Comment parler de Célimène ? », *in Annales de la Faculté des Lettres et Sciences Humaines de Nice,* 1969. « Un *Misanthrope* sans autocensure et sans héros », *in Europe,* n° 523-524, 1972.

ROUSSEAU, Jean-Jacques, *Lettre à d'Alembert sur les spectacles,* 1758.

RUDLER, G., *Molière, « Le Misanthrope »,* Blackwell, Oxford, 1947.

TOCANNE, Bernard, « Mauriac et Molière », *in Travaux du Centre d'Études et de Recherches sur François Mauriac,* n° 17, Bordeaux, 1985.

# Notes

*Page 17.*

1. « Aigreur, colère, dépit » (*Dictionnaire de l'Académie*, 1762) ; le mot est beaucoup plus fort que de nos jours.

*Page 18.*

1. Vives démonstrations d'amitié.
2. La diphtongue *oi* se prononçait alors « oué ».

*Page 19.*

1. Manifestations extérieures de politesse.

*Page 20.*

1. Le fard.
2. Sans aucun doute.
3. En 1666, le Louvre et Paris.

*Page 21.*

1. Attaquer de front. L'image vient de la langue des tournois.
2. Élevés.
3. Comédie antérieure de Molière, créée en 1661; qui met en scène un mari indulgent, Ariste, et l'oppose à un autre, Sganarelle, grondeur et tyrannique, dont Molière jouait le rôle.

*Page 22.*

1. Les gens du monde portaient des souliers à talon.
2. Endroit, habitation écartés, loin de la société des hommes.

*Page 23.*

1. Accommodante.

2. L'une des quatre humeurs, appelée aussi lymphe, qui détermine un caractère excessivement calme.

*Page 24.*

1. Votre adversaire en justice.

2. L'usage était de solliciter les juges en leur offrant des cadeaux.

*Page 25.*

1. Issue, bonne ou mauvaise, d'une affaire.

2. Péjoratif pour « procès ».

*Page 26.*

1. Sage et modeste ; le mot n'a pas encore de nuance péjorative.

2. « Repaître de vaines espérances » (*Dictionnaire* de Furetière, 1690).

3. Forme archaïque pour « trouve ».

4. Malgré tout.

5. Voir v. 84.

*Page 27.*

1. Déplaisir violent ; le mot est beaucoup plus fort que de nos jours.

2. En bas, au rez-de-chaussée. Oronte se trouve donc maintenant dans les chambres de réception du premier étage, l'étage noble.

*Page 28.*

1. Licence orthographique ordinaire.

2. Le verbe à l'époque est employé transitivement.

*Page 29.*

1. Donnez-moi la main.

2. Avant de.

3. En attendant.

4. Démarche préliminaire.

5. Forme archaïsante.

*Page 30.*

1. Pour que vous me parliez.

2. Quelque chose.

3. Majestueux, sans nuance péjorative.

*Page 31.*

1. Ferveur religieuse et amoureuse.

2. Pointe finale d'un sonnet précieux. Alceste fait ensuite un jeu sur ce mot.

3. Qu'il faudrait envoyer au diable.

*Page 32.*

1. Homme de bonne compagnie.

2. Désir ardent.

3. De mauvais rôles.

4. Cette faiblesse pour décrier un homme.

5. Mauvais.

*Page 33.*

1. Pour qu'il n'écrivît point.

2. Comprendre.

3. Secrétaire à tiroirs où, selon A. Adam, finissaient les pièces que les comédiens ne voulaient pas jouer. Mais, selon Charles Bruneau, le sens actuel et vulgaire du mot est également attesté et Molière joue de l'équivoque.

4. Voir v. 356.

*Page 34.*

1. Tout grossiers qu'ils étaient.

2. Petits objets de peu de valeur.

3. Manifeste bruyamment son admiration.

*Page 35.*

1. Voir v. 356.

*Page 36.*

1. Laissez-moi seul.

*Page 39.*

1. Alceste est défini par Molière comme l'« atrabilaire amoureux ».

2. Licence orthographique ordinaire.

3. Galants, amoureux, soupirants.

4. Entourer continuellement, assiéger.

*Page 40.*

1. Votre pouvoir de séduction.

2. La chance, le bonheur.

3. Mode signalée depuis le début du XVIIe siècle.

4. Rubans noués au-dessus du genou.

5. Sorte de jupe-culotte très large, mise à la mode par un rhingrave ou prince allemand.

*Page 41.*

1. Apaiser.

2. Sujet, raison.

3. Propos galant.

*Page 42.*

1. Sans pareille.

2. Et voyons à arrêter...

3. Au rez-de-chaussée (employé déjà au v. 250).

*Page 44.*

1. Modifié en « égards » dans l'édition de 1682.

*Page 45.*

1. C'est inutile.

2. Subir.

*Page 47.*

1. La cérémonie du *lever* du roi.

2. Se ridiculise.

3. Chaise à porteurs.

4. Type à étudier.

*Page 48.*

1. Dans sa conversation.

2. Lui monte à la tête.

3. Tutoie.

4. Tout à fait.

5. Terme coloré mais bas que l'édition de 1682 remplacera par « s'émeut ».

*Page 49.*

1. Ce dont.

*Page 50.*

1. Terme d'escrime, le contraire de « rompez ».

2. Rires.

3. S'en prendre.

*Page 51.*

1. Opinion.

2. Se met en colère.

3. A contresens.

4. Irréfléchis.

*Page 53.*

1. Peu soignée dans sa tenue.

2. Ce couplet est une traduction libre de Lucrèce (*De Natura rerum,* IV, 1142-1163).

3. A la cérémonie du petit coucher du roi seule la haute noblesse était admise.

*Page 54.*

1. Basques de la casaque que portaient les gardes de la maréchaussée.

2. Déformation populaire pour « de l'or ».

*Page 55.*

1. Les maréchaux de France (huit à l'époque) constitués en un tribunal qui jugeait les affaires d'honneur de façon à éviter les duels. Le comique vient de la disproportion entre la cause (le sonnet) et l'effet (ce tribunal solennel) d'autant que, très illustres personnages dans l'État, les maréchaux étaient nommément connus de tous.

*Page 56.*

1. « Molière, en récitant cela, l'accompagnait d'un ris amer, si piquant que M. Despréaux [Boileau], en faisant de même, nous a fort réjouis » (Brossette).

2. Orthographe habituelle à l'époque pour « vider ».

*Page 57.*

1. L'expression vient du jeu de mail (maillet) et signifie qu'on est en bonne position pour faire passer sa boule sous un arceau.

2. Courage.

3. Duel.

*Page 58.*

1. Le roi.

2. Licence orthographique comme au v. 264.

3. Avec constance, fidélité.

4. Refuse.

5. Sans être payé de retour.

6. Ce n'est pas raisonnable.

7. Auprès de Célimène.

*Page 59.*

1. Qu'est-ce qui ?

2. Concilier, mettre d'accord.

*Page 60.*

1. Voir v. 250.

*Page 61.*

1. Voir v. 828.

2. Achevée.

3. Zèle religieux.

4. La vie du monde s'oppose ici à la vie dévote.

5. Se déchaîne.

*Page 63.*

1. « Conduite et manière de vivre [...], en bonne et mauvaise part » (Furetière).

*Page 64.*

1. Voir v. 83.

2. Les prêtres.

3. A quoi que l'on s'expose en cherchant à corriger les autres.

*Page 65.*

1. Agissant.

*Page 66.*

1. Suis-je responsable.

2. Échappatoires qui ne trompent personne.

3. Pour l'éclat.

*Page 67.*

1. Vous arrêter.

2. Marques de déférence.

*Page 69.*

1. La gazette de Théophraste Renaudot, fondée en 1631, qui devait prendre en 1672 le nom de *Gazette de France*. Elle signalait entre autres les promotions et les distinctions.

2. Pour peu que vous en manifestiez le désir.

3. « Adresses, artifices dont on use pour avancer le succès d'une affaire » (Furetière).

4. Tromper.

5. Subir la sottise de marquis qui représentent la perfection du genre (*cf.* « franc coquin »).

*Page 70.*

1. Réellement.

2. Bien qu'elle soit mon amie.

*Page 73.*

1. Voir v. 751.

2. Ces vers 1144-1154 trouveront une manière de reprise dans les v. 215 *sqq.* de la Satire IX de Boileau qui passait pour un des modèles d'Alceste.

*Page 75.*

1. Voir v. 264.

2. Célimène.

*Page 76.*

1. Vengez-moi.

*Page 78.*

1. Voir v. 84.

2. Objet aimé.

*Page 79.*

1. Marque la surprise, sans vulgarité.

2. Ce vers rappelle très précisément le v. 428 de l'*Horace* de Corneille.

3. Les quatre vers précédents et une grande partie de la tirade suivante proviennent de *Dom Garcie de Navarre* (voir p. 185).

*Page 80.*

1. Si vous aviez rejeté.

2. Écriture.

*Page 82.*

1. Signature.

*Page 85.*

1. En ne se fiant pas.

2. Veux du mal à.

3. Ironique à propos d'un valet.

4. Dans un curieux équipage. Selon Georges Couton, Du Bois s'est équipé en postillon, prêt pour un départ précipité.

*Page 88.*

1. Voir v. 334.

*Page 91.*

1. Mon adversaire.

2. Issue ; ici sens péjoratif.

*Page 93.*

1. Accordé créance à.

*Page 94.*

1. Sans plus discuter.

*Page 95.*

1. Hésiter à.

*Page 96.*

1. Insistance.

2. Certainement.

*Page 97.*

1. Le mot est beaucoup plus fort qu'aujourd'hui.

2. Voir v. 96.

*Page 98.*

1. Laisser la pesée se faire.

2. Alceste comprendra le sens de ce silence : voir v. 1645-1646.

*Page 99.*

1. Auquel.
2. Preuves.
3. Écriture.

*Page 100.*

1. Célimène sait utiliser un langage populaire, vigoureux et coloré. Attesté au XVIe siècle, ce terme ne figure pas dans les lexicographes du siècle suivant.
2. Donna la main pour une promenade.
3. Qui n'ont que l'apparence.
4. Alceste.

*Page 101.*

1. Je vous regrette.
2. Je regagne mon cœur.

*Page 102.*

1. Oronte et les marquis.
2. Défendre sa cause.
3. Faites moins le fier.

*Page 103.*

1. Voir v. 264.
2. Sans aucun doute.
3. Il y a toujours place pour la faiblesse humaine.

*Page 104.*

1. Voir v. 144.
2. Satisfaits.
3. Disposé à trouver.

*Page 106.*

1. Sans que je m'inquiète trop.

# Annexe I

## LE LIBRAIRE AU LECTEUR

*Le Misanthrope,* dès sa première représentation, ayant reçu au théâtre l'approbation que le lecteur ne lui pourra refuser, et la Cour étant à Fontainebleau lorsqu'il parut, j'ai cru que je ne pouvais rien faire de plus agréable pour le public que de lui faire part de cette lettre, qui fut écrite, un jour après, à une personne de qualité sur le sujet de cette comédie. Celui qui l'écrivit était un homme dont le mérite et l'esprit est fort connu, sa lettre fut vue de la meilleure partie de la Cour, et trouvée si juste parmi tout ce qu'il y a de gens les plus éclairés en ces matières que je me suis persuadé qu'après leur avoir plu, le lecteur me serait obligé du soin que j'avais pris d'en chercher une copie pour la lui donner, et qu'il lui rendra la justice que tant de personnes de la plus haute naissance lui ont accordée.

### LETTRE ÉCRITE
### sur la comédie du *MISANTHROPE*

Monsieur,

Vous devriez être satisfait de ce que je vous ai dit de la dernière comédie de M. de Molière, que vous avez vue aussi bien que moi, sans m'obliger à vous écrire mes sentiments. Je ne puis m'empêcher de faire ce que vous souhaitez ; mais souvenez-vous de la sincère amitié que vous m'avez promise, et n'allez pas exposer à Fontainebleau, au jugement des courtisans, des remarques que je n'ai faites que pour vous obéir. Songez à ménager ma réputation, et pensez que les gens de la Cour, de qui le goût est si raffiné, n'auront pas pour moi la même indulgence que vous.

Il est à propos, avant que de parler à fond de cette comédie, de voir quel a été le but de l'auteur, et je crois qu'il mérite des louanges, s'il est venu à bout de ce qu'il s'est proposé ; et c'est la première chose qu'il faut examiner. Je pourrais vous dire en deux mots, si je voulais m'exempter de faire un grand discours, qu'il a plu, et que, son intention étant de plaire, les critiques ne peuvent pas dire qu'il ait mal fait, puisque, en faisant mieux, si toutefois il est possible, son dessein n'aurait peut-être pas si bien réussi.

Examinons donc les endroits par où il a plu, et voyons quelle a été la fin de son ouvrage. Il n'a point voulu faire une comédie pleine d'incidents, mais une pièce seulement où il pût parler contre les mœurs du siècle. C'est ce qui lui a fait prendre pour son héros un misanthrope ; et comme misanthrope veut dire ennemi des hommes, on doit demeurer d'accord qu'il ne pouvait choisir un personnage qui vraisemblablement pût mieux parler contre les hommes que leur ennemi. Ce choix est encore admirable pour le théâtre ; et les chagrins, les dépits, les bizarreries, et les emportements d'un misanthrope étant des choses qui font un grand jeu, ce caractère est un des plus brillants qu'on puisse produire sur la scène.

On n'a pas seulement remarqué l'adresse de l'auteur dans le choix de ce personnage, mais encore dans tous les autres ; et comme rien ne fait paraître davantage une chose que celle qui lui est opposée, on peut non seulement dire que l'ami du Misanthrope, qui est un homme sage et prudent, fait voir dans son jour le caractère de ce ridicule, mais encore que l'humeur du Misanthrope fait connaître la sagesse de son ami.

Molière n'étant pas de ceux qui ne font pas tout également bien, n'a pas été moins heureux dans le choix de ses autres caractères, puisque la maîtresse du Misanthrope est une jeune veuve, coquette, et tout à fait médisante. Il faut s'écrier ici, et admirer l'adresse de l'auteur : ce n'est pas que le caractère ne soit assez ordinaire, et que plusieurs n'eussent pu s'en servir ; mais l'on doit admirer que, dans une pièce où Molière veut parler contre les mœurs du siècle et n'épargner personne, il nous fait voir une médisante avec un ennemi des hommes. Je vous laisse à penser si ces deux personnes ne peuvent pas naturellement parler contre toute la terre, puisque l'un hait les hommes, et que l'autre se plaît à en dire tout le mal qu'elle en sait. En vérité, l'adresse de cet auteur est admirable : ce sont là de ces choses que tout le monde ne remarque pas, et qui sont faites avec beaucoup de jugement. Le Misanthrope seul n'aurait pu parler contre tous les hommes ; mais en trouvant le moyen de le faire aider d'une médisante, c'est avoir trouvé, en même temps, celui de mettre, dans une seule pièce, la dernière main au portrait du siècle. Il y est tout entier, puisque nous voyons encore une femme qui veut paraître prude opposée à une coquette, et des marquis qui représentent la Cour : tellement qu'on peut assurer que, dans cette comédie, l'on voit tout ce qu'on peut dire contre les mœurs du siècle. Mais comme il ne suffit pas d'avancer une chose si l'on ne la prouve, je vais, en examinant cette pièce d'acte en acte, vous faire remarquer tout ce que j'ai dit, et vous faire voir cent choses qui sont mises en leur jour avec beaucoup d'art, et qui ne sont connues que des personnes aussi éclairées que vous.

Les choses qui sont les plus précieuses d'elles-mêmes ne seraient pas souvent estimées ce qu'elles sont, si l'art ne leur avait prêté quelques traits ; et l'on peut dire que, de quelque valeur qu'elles soient, il augmente toujours leur prix. Une pierre mise en œuvre a beaucoup plus d'éclat qu'auparavant ; et nous ne saurions bien voir le plus beau tableau du monde, s'il n'est dans son jour. Toutes choses ont besoin d'y être, et les actions que l'on nous représente sur la scène nous paraissent plus ou moins belles, selon que l'art du poète nous les fait paraître. Ce n'est pas qu'on doive trop s'en servir, puisque le trop d'art n'est plus art, et que c'est en avoir beaucoup que de ne pas le montrer. Tout excès est condamnable et nuisible ; et les plus grandes beautés perdent beaucoup de leur éclat, lorsqu'elles sont exposées à un trop grand jour. Les productions d'esprit sont de même, et surtout celles qui regardent le théâtre ; il leur faut donner de certains jours, qui sont plus difficiles à trouver que les choses les plus spirituelles ; car enfin il n'y a point d'esprits si grossiers qui n'aient quelquefois de belles pensées ; mais il y en a peu qui sachent bien les mettre en œuvre, s'il est permis de parler ainsi. C'est ce que Molière fait si bien, et ce que vous pouvez remarquer dans sa pièce.

Cette ingénieuse et admirable comédie commence par le Misanthrope qui, par son action, fait connaître à tout le monde que c'est lui, avant même d'ouvrir la bouche : ce qui fait juger qu'il soutiendra bien son caractère, puisqu'il commence si bien de le faire remarquer.

Dans cette première scène, il blâme ceux qui sont tellement accoutumés à faire des protestations d'amitié qu'ils embrassent également leurs amis et ceux qui leur doivent être indifférents, le faquin et l'honnête homme ; et dans le même temps, par la colère où il témoigne être contre son ami, il fait voir que ceux qui reçoivent ces embrassades avec trop de complaisance ne sont pas moins dignes de blâme que ceux qui les font ; et par ce que lui répond son ami, il fait voir que son dessein est de rompre en visière à tout le genre humain ; et l'on connaît par ce peu de paroles le caractère qu'il doit soutenir pendant toute la pièce. Mais comme il ne pouvait le faire paraître sans avoir de matière, l'auteur a cherché toutes les choses qui peuvent exercer la patience des hommes ; et comme il n'y en a presque point qui n'ait quelque procès, et que c'est une chose fort contraire à l'humeur d'un tel personnage, il n'a pas manqué de le faire plaider ; et comme les plus sages s'emportent ordinairement quand ils ont des procès, il a pu justement faire dire tout ce qu'il a voulu à un misanthrope, qui doit, plus qu'un autre, faire voir sa mauvaise humeur et contre ses juges et contre sa partie.

Ce n'était pas assez de lui avoir fait dire qu'il voulait rompre en visière à tout le genre humain, si l'on ne lui donnait lieu de le faire. Plusieurs disent des choses qu'ils ne font pas ; et l'auditeur ne lui a pas sitôt vu prendre cette résolution qu'il souhaite d'en voir les effets : ce qu'il découvre dans la scène suivante, et ce qui lui doit faire connaître l'adresse de l'auteur qui répond si tôt à ses désirs.

Cette seconde scène réjouit et attache beaucoup, puisqu'on voit un homme de qualité faire au Misanthrope les civilités qu'il vient de blâmer, et qu'il faut nécessairement ou qu'il démente son caractère, ou qu'il lui rompe en visière. Mais il est encore plus embarrassé dans la suite, car la même personne lui lit un sonnet, et veut l'obliger d'en dire son sentiment. Le Misanthrope fait d'abord voir un peu de prudence, et tâche de lui faire comprendre ce qu'il ne veut pas lui dire ouvertement, pour lui épargner de la confusion ; mais enfin il est obligé de lui rompre en visière : ce qu'il fait d'une manière qui doit beaucoup divertir le spectateur. Il lui fait voir que son sonnet vaut moins qu'un vieux couplet de chanson qu'il lui dit ; que ce n'est qu'un jeu de paroles qui ne signifient rien, mais que la chanson dit beaucoup plus, puisqu'elle fait du moins voir un homme amoureux qui abandonnerait une ville comme Paris pour sa maîtresse.

Je ne crois pas qu'on puisse rien voir de plus agréable que cette scène. Le sonnet n'est point méchant, selon la manière d'écrire d'aujourd'hui ; et ceux qui cherchent ce que l'on appelle pointes ou chutes, plutôt que le bon sens, le trouveront sans doute bon. J'en vis même, à la première représentation de cette pièce, qui se firent jouer pendant qu'on représentait cette scène ; car ils crièrent que le sonnet était bon, avant que le Misanthrope en fît la critique, et demeurèrent ensuite tout confus.

Il y a cent choses dans cette scène qui doivent faire remarquer l'esprit de l'auteur ; et le choix du sonnet en est une, dans un temps où tous nos courtisans font des vers. On peut ajouter à cela que les gens de qualité croient que leur naissance les doit excuser lorsqu'ils écrivent mal ; qu'ils sont les premiers à dire : « Cela est écrit cavalièrement, et un gentilhomme n'en doit pas savoir davantage. » Mais ils devraient plutôt se persuader que les gens de qualité doivent mieux faire que les autres, ou du moins ne point faire voir ce qu'ils ne font pas bien.

Ce premier acte ayant plu à tout le monde, et n'ayant que deux scènes, doit être parfaitement beau, puisque les Français, qui voudraient toujours voir de nouveaux personnages, s'y seraient ennuyés, s'il ne les avait fort attachés et divertis.

Après avoir vu le Misanthrope déchaîné contre ceux qui font également des protestations d'amitié à tout le monde, et ceux qui y répondent, avec le même emportement ; après l'avoir ouï parler contre sa partie, et l'avoir vu condamner le sonnet, et rompre en visière à son auteur, on ne pouvait plus souhaiter que le voir amoureux, puisque l'amour doit bien donner de la peine aux personnes de son caractère, et que l'on doit, en cet état, en espérer quelque chose de plaisant, chacun traitant ordinairement cette passion selon son tempérament ; et c'est d'où vient que l'on attribue tant de choses à l'amour, qui ne doivent souvent être attribuées qu'à l'humeur des hommes.

Si l'on souhaite de voir le Misanthrope amoureux, on doit être satisfait dans cette scène, puisqu'il y paraît avec sa maîtresse, mais avec sa hauteur, ordinaire à ceux de son caractère. Il n'est point soumis, il n'est point languissant ; mais il lui découvre librement les défauts qu'il voit en elle, et lui reproche qu'elle reçoit bien tout l'univers ; et pour douceurs, il lui dit qu'il voudrait bien ne la pas aimer, et qu'il ne l'aime que pour ses péchés. Ce n'est pas qu'avec tous ces discours il ne paraisse aussi amoureux que les autres, comme nous verrons dans la suite. Pendant leur entretien, quelques gens viennent visiter sa maîtresse ; il voudrait l'obliger à ne les pas voir ; et comme elle lui répond que l'un d'eux la sert dans un procès, il lui dit qu'elle devrait perdre sa cause plutôt que de les voir.

Il faut demeurer d'accord que cette pensée ne se peut payer, et qu'il n'y a qu'un misanthrope qui puisse dire des choses semblables. Enfin, toute la compagnie arrive, et le Misanthrope conçoit tant de dépit qu'il veut s'en aller. C'est ici où l'esprit de Molière se fait remarquer, puisque, en deux vers, joints à quelque action qui marque du dépit, il fait voir ce que peut l'amour sur le cœur de tous les hommes, et sur celui du Misanthrope même, sans le faire sortir de son caractère. Sa maîtresse lui dit deux fois de demeurer ; il témoigne qu'il n'en veut rien faire ; et sitôt qu'elle lui donne congé avec un peu de froideur, il demeure, et montre, en faisant deux ou trois pas pour s'en aller et en revenant aussitôt, que l'amour, pendant ce temps, combat contre son caractère et demeure vainqueur : ce que l'auteur a fait judicieusement, puisque l'amour surmonte tout. Je trouve encore une chose admirable en cet endroit : c'est la manière dont les femmes agissent pour se faire obéir, et comme une femme a le pouvoir de mettre à la raison un homme comme le Misanthrope, qui la vient même de quereller, en lui disant : « Je veux que vous demeuriez » ; et puis, en changeant de ton : « Vous pouvez vous en aller. » Cependant cela se fait tous les jours, et l'on ne peut le voir mieux représenté qu'il est dans cette scène. Après tant de choses si différentes, et si naturellement touchées et représentées dans l'espace de quatre vers, on voit une scène de conversation, où se rencontrent deux marquis, l'ami du Misanthrope, et la cousine de la maîtresse de ce dernier. La jeune veuve chez qui toute la compagnie se trouve n'est point fâchée d'avoir la Cour chez elle ; et comme elle est bien aise d'en avoir, qu'elle est politique et veut ménager tout le monde, elle n'avait pas voulu faire dire qu'elle n'y était pas aux deux marquis, comme le souhaitait le Misanthrope. La conversation est toute aux dépens du prochain ; et la coquette médisante fait voir ce qu'elle sait, quand il s'agit de le dauber, et qu'elle est de celles qui déchirent sous main jusques à leurs meilleurs amis.

Cette conversation fait voir que l'auteur n'est pas épuisé, puisqu'on y parle de vingt caractères de gens, qui sont admirablement bien dépeints en peu de vers chacun ; et l'on peut dire que ce sont autant de sujets de comédies que Molière donne libéralement à ceux qui s'en voudront servir. Le Misanthrope soutient bien son caractère pendant cette conversation et leur parle avec la liberté qui lui est ordinaire. Elle est à peine finie qu'il fait une action digne de lui, en disant aux deux marquis qu'il ne sortira point qu'ils ne soient sortis ; et il le ferait sans doute, puisque les gens de son caractère ne se démentent jamais, s'il n'était obligé de suivre un garde, pour le différend qu'il a eu avec Oronte en condamnant son sonnet. C'est par où cet acte finit.

L'ouverture du troisième se fait par une scène entre les deux marquis, qui disent des choses fort convenables à leurs caractères, et qui font voir, par les applaudissements qu'ils reçoivent, que l'on peut toujours mettre des marquis sur la scène, tant qu'on leur fera dire quelque chose que les autres n'aient point encore dit. L'accord qu'ils font entre eux de se dire les marques d'estime qu'ils recevront de leur maîtresse est une adresse de l'auteur, qui prépare la fin de sa pièce, comme vous remarquerez dans la suite.

Il y a, dans le même acte, une scène entre deux femmes, que l'on trouve d'autant plus belle que leurs caractères sont tout à fait opposés et se font ainsi paraître l'un l'autre. L'une est la jeune veuve, aussi coquette que médisante ; et l'autre, une femme qui veut passer pour prude, et qui, dans l'âme, n'est pas moins du monde que la coquette. Elle donne à cette dernière des avis charitables sur sa conduite ; la coquette les reçoit fort bien en apparence, et lui dit, à son tour, pour la payer de cette obligation, qu'elle veut l'avertir de ce que l'on dit d'elle, et lui fait un tableau de la vie des feintes prudes, dont les couleurs sont aussi fortes que celles que la prude avait employées pour lui représenter la vie des coquettes ; et ce qui doit faire trouver cette scène fort agréable est que celle qui a parlé la première se fâche quand l'autre la paye en même monnaie.

L'on peut assurer que l'on voit dans cette scène tout ce que l'on peut dire de toutes les femmes, puisqu'elles sont toutes de l'un ou de l'autre caractère, ou que, si elles ont quelque chose de plus ou de moins, ce qu'elles ont a toujours du rapport à l'un ou à l'autre.

Ces deux femmes, après s'être parlé à cœur ouvert touchant leurs vies, se séparent ; et la coquette laisse la prude avec le Misanthrope, qu'elle voit entrer chez elle. Comme la prude a de l'esprit, et qu'elle n'a choisi ce caractère que pour mieux faire ses affaires, elle tâche, par toutes sortes de voies, d'attirer le Misanthrope, qu'elle aime. Elle le loue, elle parle contre la coquette, lui veut persuader qu'on le trompe, et le mène chez elle pour lui en donner des preuves : ce qui donne sujet à une partie des choses qui se passent au quatrième acte.

Cet acte commence par le récit de l'accommodement du Misanthrope avec l'homme du sonnet ; et l'ami de ce premier en entretient la cousine de la coquette. Les vers de ce récit sont tout à fait beaux ; mais ce que l'on y doit remarquer est que le caractère du Misanthrope est soutenu avec la même vigueur qu'il fait paraître en ouvrant la pièce. Ces deux personnes parlent quelque temps des sentiments de leurs cœurs, et sont interrompues par le Misanthrope même, qui paraît furieux et jaloux ; et l'auditeur se persuade aisément, par ce qu'il a vu dans l'autre acte, que la prude, avec qui on l'a vu sortir, lui a inspiré ses sentiments. Le dépit lui fait faire ce que tous les hommes feraient en sa place, de quelque humeur qu'ils fussent : il offre son cœur à la belle parente de sa maîtresse ; mais elle lui fait voir que ce n'est que le dépit qui le fait parler, et qu'une coupable aimée est bientôt innocente. Ils le laissent avec sa maîtresse, qui paraît, et se retirent.

Je ne crois pas qu'on puisse rien voir de plus beau que cette scène : elle est toute sérieuse ; et cependant il y en a peu dans la pièce qui divertissent davantage. On y voit un portrait, naturellement représenté, de ce que les amants font tous les jours en de semblables rencontres. Le Misanthrope paraît d'abord aussi emporté que jaloux ; il semble que rien ne peut diminuer sa colère, et que la pleine justification de sa maîtresse ne pourrait qu'avec peine calmer sa fureur. Cependant, admirez l'adresse de l'auteur : ce jaloux, cet emporté, ce furieux, paraît tout radouci ; il ne parle que du désir qu'il a de faire du bien à sa maîtresse ; et ce qui est admirable est qu'il lui dit toutes ces choses avant qu'elle se soit justifiée, et lorsqu'elle lui dit qu'il a raison d'être jaloux. C'est faire voir ce que peut l'amour sur le cœur de tous les hommes, et faire connaître en même temps, par une adresse que l'on ne peut assez admirer, ce que peuvent les femmes sur leurs amants, en changeant seulement le ton de leurs voix, et prenant un air qui paraît ensemble et fier et attirant. Pour moi, je ne puis assez m'étonner, quand je vois une coquette ramener, avant que s'être justifiée, non pas un amant soumis et languissant, mais un misanthrope, et l'obliger non seulement à la prière de se justifier, mais encore à des protestations d'amour, qui n'ont pour but que le bien de l'objet aimé ; et cependant demeurer ferme, après l'avoir ramené, et ne le point éclaircir, pour avoir le plaisir de s'applaudir d'un plein triomphe. Voilà ce qui s'appelle manier des scènes, voilà ce qui s'appelle travailler avec art, et représenter avec des traits délicats ce qui se passe tous les jours dans le monde. Je ne crois pas que les beautés de cette scène soient connues de tous ceux qui l'ont vu représenter : elle est trop délicatement traitée ; mais je puis assurer que tout le monde a remarqué qu'elle était bien écrite, et que les personnes d'esprit en ont bien su connaître les finesses.

Dans le reste de l'acte, le valet du Misanthrope vient chercher son maître pour l'avertir qu'on lui est venu signifier quelque chose qui regarde son procès. Comme l'esprit paraît aussi bien dans les petites choses que dans les grandes, on en voit beaucoup dans cette scène, puisque le valet exerce la patience du Misanthrope, et que ce qu'il dit ferait moins d'effet s'il était à un maître qui fût d'une autre humeur.

La scène du valet, au quatrième acte, devait faire croire que l'on entendrait bientôt parler du procès. Aussi apprend-on, à l'ouverture du cinquième, qu'il est perdu ; et le Misanthrope agit selon que j'ai dit au premier. Son chagrin, qui l'oblige à se promener et rêver, le fait retirer dans un coin de la chambre, d'où il voit aussitôt entrer sa maîtresse, accompagnée de l'homme avec qui il a eu démêlé pour le sonnet. Il la presse de se déclarer, et de faire un choix entre lui et ses rivaux : ce qui donne lieu au Misanthrope de faire une action qui est bien d'un homme de son caractère. Il sort de l'endroit où il est, et lui fait la même prière. La coquette agit toujours en femme adroite et spirituelle ; et, par un procédé qui paraît honnête, leur dit qu'elle sait bien quel choix elle doit faire, qu'elle ne balance pas, mais qu'elle ne veut point se déclarer en présence de celui qu'elle ne doit pas choisir. Ils sont interrompus par la prude, et par les marquis, qui apportent chacun une lettre qu'elle a écrite contre eux : ce que l'auteur a préparé dès le troisième acte, en leur faisant promettre qu'ils se montreraient ce qu'ils recevraient de leur maîtresse. Cette scène est fort agréable : tous les acteurs sont raillés dans les deux lettres ; et quoique cela soit nouveau au théâtre, il fait voir néanmoins la véritable manière d'agir des coquettes médisantes, qui parlent et écrivent continuellement contre ceux qu'elles voient tous les jours et à qui elles font bonne mine. Les marquis la quittent, et lui témoignent plus de mépris que de colère.

La coquette paraît un peu mortifiée dans cette scène. Ce n'est pas qu'elle démente son caractère ; mais la surprise qu'elle a de se voir abandonnée, et le chagrin d'apprendre que son jeu est découvert, lui causent un secret dépit, qui paraît jusque sur son visage. Cet endroit est tout à fait judicieux. Comme la médisance est un vice, il était nécessaire qu'à la fin de la comédie elle eût quelque sorte de punition ; et l'auteur a trouvé le moyen de la punir, et de lui faire, en même temps, soutenir son caractère. Il ne faut point d'autre preuve pour montrer qu'elle le soutient, que le refus qu'elle fait d'épouser le Misanthrope et d'aller vivre dans son désert. Il ne tient qu'à elle de le faire ; mais leurs humeurs étant incompatibles, ils seraient trop mal assortis ; et la coquette peut se corriger en demeurant dans le monde, sans choisir un désert pour faire pénitence, son crime, qui ne part que d'un esprit encore jeune, ne demandant pas qu'elle en fasse une si grande.

Pour ce qui regarde le Misanthrope, on peut dire qu'il soutient son caractère jusques au bout. Nous en voyons souvent qui ont bien de la peine à le garder pendant le cours d'une comédie ; mais si, comme j'ai dit tantôt, celui-ci a fait connaître le sien avant que parler, il fait voir, en finissant, qu'il le conservera toute sa vie, en se retirant du monde.

Voilà, Monsieur, ce que je pense de la comédie du Misanthrope amoureux, que je trouve d'autant plus admirable, que le héros en est le plaisant sans être trop ridicule, et qu'il fait rire les honnêtes gens sans dire des plaisanteries fades et basses, comme l'on a accoutumé de voir dans les pièces comiques. Celles de cette nature me semblent plus divertissantes, encore que l'on y rie moins haut ; et je crois qu'elles divertissent davantage, qu'elles attachent, et qu'elles font continuellement rire dans l'âme. Le Misanthrope, malgré sa folie, si l'on peut ainsi appeler son humeur, a le caractère d'un honnête homme, et beaucoup de fermeté, comme l'on peut connaître dans l'affaire du sonnet. Nous voyons de grands hommes dans des pièces héroïques, qui en ont bien moins, qui n'ont point de caractère, et démentent souvent au théâtre, par leur lâcheté, la bonne opinion que l'histoire a fait concevoir d'eux.

L'auteur ne représente pas seulement le Misanthrope sous ce caractère, mais il fait encore parler à son héros d'une partie des mœurs du temps ; et ce qui est admirable est que, bien qu'il paraisse en quelque façon ridicule, il dit des choses fort justes. Il est vrai qu'il semble trop exiger ; mais il faut demander beaucoup pour obtenir quelque chose ; et pour obliger les hommes à se corriger un peu de leurs défauts, il est nécessaire de les leur faire paraître bien grands.

Molière, par une adresse qui lui est particulière, laisse partout deviner plus qu'il ne dit, et n'imite pas ceux qui parlent beaucoup, et ne disent rien.

On peut assurer que cette pièce est une perpétuelle et divertissante instruction, qu'il y a des tours et des délicatesses inimitables, que les vers sont fort beaux, au sentiment de tout le monde, les scènes bien tournées et bien maniées, et que l'on ne peut ne la pas trouver bonne sans faire voir que l'on n'est pas de ce monde, et que l'on ignore la manière de vivre de la Cour et celle des plus illustres personnes de la ville.

Il n'y a rien dans cette comédie qui ne puisse être utile, et dont l'on ne doive profiter. L'ami du Misanthrope est si raisonnable que tout le monde devrait l'imiter : il n'est ni trop ni trop peu critique ; et ne portant les choses dans l'un ni dans l'autre excès, sa conduite doit être approuvée de tout le monde. Pour le Misanthrope, il doit inspirer à tous ses semblables le désir de se corriger. Les coquettes médisantes, par l'exemple de Célimène, voyant qu'elles peuvent s'attirer des affaires qui les feront mépriser, doivent apprendre à ne pas déchirer sous main leurs meilleurs amis. Les fausses prudes doivent connaître que leurs grimaces ne servent de rien, et que, quand elles seraient aussi sages qu'elles le veulent paraître, elles seront toujours blâmées tant qu'elles voudront passer pour prudes. Je ne dis rien des marquis : je les crois les plus incorrigibles ; et il y a tant de choses à reprendre encore en eux que tout le monde avoue qu'on les peut encore jouer longtemps, bien qu'ils n'en demeurent pas d'accord.

Vous trouverez sans doute ma lettre trop longue ; mais je n'ai pu m'arrêter, et j'ai trouvé qu'il était difficile de parler sur un si grand sujet en peu de mots. Ce long discours ne devrait pas déplaire aux courtisans, puisqu'ils ont assez fait voir, par leurs applaudissements, qu'ils trouvaient la comédie belle. En tout cas, je n'ai écrit que pour vous, et j'espère que vous cacherez ceci, si vous jugez qu'il ne vaut pas la peine d'être montré. Ne craignez pas que j'y trouve à redire : je suis autrement soumis à votre jugement qu'Oronte ne l'était aux avis du Misanthrope.

# Annexe II

## Dom Garcie de Navarre

Acte IV, scènes 7 et 8

### *Scène 7*

DOM GARCIE, DOM ALVAR

DOM GARCIE

Que vois-je, ô justes Cieux !

Faut-il que je m'assure au rapport de mes yeux ?
Ah ! sans doute ils me sont des témoins trop fidèles,
Voilà le comble affreux de mes peines mortelles,
Voici le coup fatal qui devait m'accabler ;
Et quand par des soupçons je me sentais troubler,
C'était, c'était le Ciel, dont la sourde menace
Présageait à mon cœur cette horrible disgrâce.

DOM ALVAR

Qu'avez-vous vu, Seigneur, qui vous puisse émouvoir ?

DOM GARCIE

J'ai vu ce que mon âme a peine à concevoir ;
Et le renversement de toute la nature
Ne m'étonnerait pas comme cette aventure.
C'en est fait... Le destin... Je ne saurais parler.

DOM ALVAR

Seigneur, que votre esprit tâche à se rappeler.

DOM GARCIE

J'ai vu... Vengeance, ô Ciel !

DOM ALVAR

Quelle atteinte soudaine...

DOM GARCIE
J'en mourrai, Dom Alvar, la chose est bien certaine.
DOM ALVAR
Mais, Seigneur, qui pourrait... ?
DOM GARCIE
Ah ! tout est ruiné ;
Je suis, je suis trahi, je suis assassiné :
Un homme... Sans mourir te le puis-je bien dire ?
Un homme dans les bras de l'infidèle Elvire.
DOM ALVAR
Ah ! Seigneur ! la Princesse est vertueuse au point...
DOM GARCIE
Ah ! sur ce que j'ai vu ne me contestez point,
Dom Alvar : c'en est trop que soutenir sa gloire,
Lorsque mes yeux font foi d'une action si noire.
DOM ALVAR
Seigneur, nos passions nous font prendre souvent
Pour chose véritable un objet décevant.
Et de croire qu'une âme à la vertu nourrie
Se puisse...
DOM GARCIE
Dom Alvar, laissez-moi, je vous prie :
Un conseiller me choque en cette occasion,
Et je ne prends avis que de ma passion.
DOM ALVAR
Il ne faut rien répondre à cet esprit farouche.
DOM GARCIE
Ah ! que sensiblement cette atteinte me touche !
Mais il faut voir qui c'est, et de ma main punir...
La voici. Ma fureur, te peux-tu retenir ?

## *Scène 8*

DONE ELVIRE, DOM GARCIE, DOM ALVAR

DONE ELVIRE
Hé bien ! que voulez-vous ? et quel espoir de grâce,
Après vos procédés, peut flatter votre audace ?
Osez-vous à mes yeux encor vous présenter,
Et que me direz-vous que je doive écouter ?

DOM GARCIE

Que toutes les horreurs dont une âme est capable
A vos déloyautés n'ont rien de comparable,
Que le sort, les démons, et le Ciel en courroux,
N'ont jamais rien produit de si méchant que vous.

DONE ELVIRE

Ah ! vraiment, j'attendais l'excuse d'un outrage ;
Mais, à ce que je vois, c'est un autre langage.

DOM GARCIE

Oui, oui, c'en est un autre ; et vous n'attendiez pas
Que j'eusse découvert le traître dans vos bras,
Qu'un funeste hasard par la porte entrouverte
Eût offert à mes yeux votre honte et ma perte.
Est-ce l'heureux amant sur ses pas revenu,
Ou quelque autre rival qui m'était inconnu ?
Ô Ciel ! donne à mon cœur des forces suffisantes
Pour pouvoir supporter des douleurs si cuisantes !
Rougissez maintenant : vous en avez raison,
Et le masque est levé de votre trahison.
Voilà ce que marquaient les troubles de mon âme :
Ce n'était pas en vain que s'alarmait ma flamme ;
Par ces fréquents soupçons, qu'on trouvait odieux,
Je cherchais le malheur qu'ont rencontré mes yeux ;
Et malgré tous vos soins et votre adresse à feindre,
Mon astre me disait ce que j'avais à craindre.
Mais ne présumez pas que sans être vengé
Je souffre le dépit de me voir outragé.
Je sais que sur les vœux on n'a point de puissance,
Que l'amour veut partout naître sans dépendance,
Que jamais par la force on n'entra dans un cœur,
Et que toute âme est libre à nommer son vainqueur :
Aussi ne trouverais-je aucun sujet de plainte,
Si pour moi votre bouche avait parlé sans feinte ;
Et son arrêt livrant mon espoir à la mort,
Mon cœur n'aurait eu droit de s'en prendre qu'au sort.
Mais d'un aveu trompeur voir ma flamme applaudie,
C'est une trahison, c'est une perfidie,
Qui ne saurait trouver de trop grands châtiments,
Et je puis tout permettre à mes ressentiments.
Non, non, n'espérez rien après un tel outrage :
Je ne suis plus à moi ; je suis tout à la rage ;
Trahi de tous côtés, mis dans un triste état,
Il faut que mon amour se venge avec éclat,

Qu'ici j'immole tout à ma fureur extrême,
Et que mon désespoir achève par moi-même.

DONE ELVIRE
Assez paisiblement vous a-t-on écouté ?
Et pourrai-je à mon tour parler en liberté ?

DOM GARCIE
Et par quels beaux discours, que l'artifice inspire ?...

DONE ELVIRE
Si vous avez encor quelque chose à me dire,
Vous pouvez l'ajouter : je suis prête à l'ouïr ;
Sinon, faites au moins que je puisse jouir
De deux ou trois moments de paisible audience.

DOM GARCIE
Hé bien ! j'écoute. Ô Ciel, quelle est ma patience !

DONE ELVIRE
Je force ma colère, et veux, sans nulle aigreur,
Répondre à ce discours si rempli de fureur.

DOM GARCIE
C'est que vous voyez bien...

DONE ELVIRE
Ah ! j'ai prêté l'oreille
Autant qu'il vous a plu : rendez-moi la pareille.
J'admire mon destin, et jamais sous les cieux
Il ne fut rien, je crois, de si prodigieux,
Rien dont la nouveauté soit plus inconcevable,
Et rien que la raison rende moins supportable.
Je me vois un amant qui, sans se rebuter,
Applique tous ses soins à me persécuter,
Qui dans tout cet amour que sa bouche m'exprime
Ne conserve pour moi nul sentiment d'estime.
Rien au fond de ce cœur qu'ont pu blesser mes yeux
Qui fasse droit au sang que j'ai reçu des Cieux,
Et de mes actions défende l'innocence
Contre le moindre effort d'une fausse apparence !
Oui, je vois... Ah ! surtout ne m'interrompez point.
Je vois, dis-je, mon sort malheureux à ce point,
Qu'un cœur qui dit qu'il m'aime, et qui doit faire croire
Que, quand tout l'univers douterait de ma gloire,
Il voudrait contre tous en être le garant,
Est celui qui s'en fait l'ennemi le plus grand.
On ne voit échapper aux soins que prend sa flamme
Aucune occasion de soupçonner mon âme.

Mais c'est peu des soupçons : il en fait des éclats
Que, sans être blessé, l'amour ne souffre pas.
Loin d'agir en amant, qui, plus que la mort même,
Appréhende toujours d'offenser ce qu'il aime,
Qui se plaint doucement, et cherche avec respect
A pouvoir s'éclaircir de ce qu'il croit suspect,
A toute extrémité dans ses doutes il passe,
Et ce n'est que fureur, qu'injure et que menace.
Cependant aujourd'hui je veux fermer les yeux
Sur tout ce qui devrait me le rendre odieux,
Et lui donner moyen, par une bonté pure,
De tirer son salut d'une nouvelle injure.
Ce grand emportement qu'il m'a fallu souffrir
Part de ce qu'à vos yeux le hasard vient d'offrir :
J'aurais tort de vouloir démentir votre vue,
Et votre âme sans doute a dû paraître émue.

DOM GARCIE
Et n'est-ce pas... ?

DONE ELVIRE
Encore un peu d'attention,
Et vous allez savoir ma résolution.
Il faut que de nous deux le destin s'accomplisse.
Vous êtes maintenant sur un grand précipice ;
Et ce que votre cœur pourra délibérer
Va vous y faire choir, ou bien vous en tirer.
Si, malgré cet objet qui vous a pu surprendre,
Prince, vous me rendez ce que vous devez rendre
Et ne demandez point d'autre preuve que moi
Pour condamner l'erreur du trouble où je vous voi,
Si de vos sentiments la prompte déférence
Veut sur ma seule foi croire mon innocence
Et de tous vos soupçons démentir le crédit
Pour croire aveuglément ce que mon cœur vous dit,
Cette soumission, cette marque d'estime,
Du passé dans ce cœur efface tout le crime :
Je rétracte à l'instant ce qu'un juste courroux
M'a fait dans la chaleur prononcer contre vous ;
Et si je puis un jour choisir ma destinée
Sans choquer les devoirs du rang où je suis née,
Mon honneur, satisfait par ce respect soudain,
Promet à votre amour et mes vœux et ma main.
Mais prêtez bien l'oreille à ce que je vais dire :
Si cet offre sur vous obtient si peu d'empire,

Que vous me refusiez de me faire entre nous
Un sacrifice entier de vos soupçons jaloux,
S'il ne vous suffit pas de toute l'assurance
Que vous peuvent donner mon cœur et ma naissance,
Et que de votre esprit les ombrages puissants
Forcent mon innocence à convaincre vos sens
Et porter à vos yeux l'éclatant témoignage
D'une vertu sincère à qui l'on fait outrage,
Je suis prête à le faire, et vous serez content ;
Mais il vous faut de moi détacher à l'instant,
A mes vœux pour jamais renoncer de vous-même ;
Et j'atteste du Ciel la puissance suprême
Que, quoi que le destin puisse ordonner de nous,
Je choisirai plutôt d'être à la mort qu'à vous.
Voilà dans ces deux choix de quoi vous satisfaire :
Avisez maintenant celui qui peut vous plaire.

DOM GARCIE

Juste Ciel ! jamais rien peut-il être inventé
Avec plus d'artifice et de déloyauté ?
Tout ce que des enfers la malice étudie
A-t-il rien de si noir que cette perfidie ?
Et peut-elle trouver dans toute sa rigueur
Un plus cruel moyen d'embarrasser un cœur ?
Ah ! que vous savez bien ici contre moi-même,
Ingrate, vous servir de ma faiblesse extrême,
Et ménager pour vous l'effort prodigieux
De ce fatal amour né de vos traîtres yeux !
Parce qu'on est surprise et qu'on manque d'excuse,
D'un offre de pardon on emprunte la ruse.
Votre feinte douceur forge un amusement
Pour divertir l'effet de mon ressentiment,
Et par le nœud subtil du choix qu'elle embarrasse,
Veut soustraire un perfide au coup qui le menace ;
Oui, vos dextérités veulent me détourner
D'un éclaircissement qui vous doit condamner ;
Et votre âme, feignant une innocence entière,
Ne s'offre à m'en donner une pleine lumière
Qu'à des conditions qu'après d'ardents souhaits
Vous pensez que mon cœur n'acceptera jamais.
Mais vous serez trompée en me croyant surprendre :
Oui, oui, je prétends voir ce qui doit vous défendre,
Et quel fameux prodige, accusant ma fureur,
Peut de ce que j'ai vu justifier l'horreur.

# Table

*Crédit photos*

Viollet-Lipnitzki p. 13.
Bernard p. 43.
Enguerand pp. 81, 105, 121.

Composition réalisée par C.M.L., Montrouge.

IMPRIMÉ EN FRANCE PAR BRODARD ET TAUPIN
Usine de La Flèche (Sarthe).
LIBRAIRIE GÉNÉRALE FRANÇAISE - 43, quai de Grenelle - 75015 Paris.
ISBN : 2 - 253 - 03792 - 3 30/6133/0